현대상식으로 본
인생의 가치

과학철학이 보내는 근본적 질문에 대한 전상서

김승대

약력
서울대학교 법과대학 및 동 대학원 졸업
법학박사(서울대) / (現) 변호사
프랑스국립사법관학교 수료
법무부 특수법령과장
서울지검 남부지청 부장검사
헌법재판소 헌법연구부장
사법시험 시험위원
부산대학교 법학전문대학원장

저서
통일헌법이론(1996)
러시아헌법론(1998)
한반도헌법국가의 주요문제(2017)
헌법학강론(2011-2021, 제6판)

세상의 근본의문에 대한 해답의 모색

인간은 누구나 살아가면서 다음의
근본적 의문들을 풀고 싶어 합니다.

그것은 ① 이 세상은 어떻게 하여 만들어졌는지
② 인간은 이 세상에 어떻게 하여 생겨났는지
③ 인간이란 본질적으로 어떤 존재인지
④ 인간인 나는 이 세상에서 무엇을 하며
어떻게 살아야 하는지 하는 의문들입니다.

아무리 뛰어난 사람이
일평생 혼자 골똘히 생각하면서
도(道)를 닦아 본다 하더라도
이 의문들의 정답을 찾아내기 어렵습니다.

논어에 "아침에 이 세상의 이치를 알면
저녁에 죽어도 좋다(朝問道 夕死可矣)"

라고 한 것은 이러한 근본적 의문들을
풀고자 하는 공자의 간절한 심정을
토로한 말일 것입니다.

공자가 현인이라 하더라도
우주와 지구 및 생명과 인체에 대한
과학적 지식이 부족하였던
고대 중국의 춘추시대 사람이므로
어쩔 수 없는 한계가 있었고
비슷한 시기 인도의 고타마 싯타르타는
특히 1,2의 의문들에 대한 해답은
인간이 수도하며 생각하여
알아낼 수 있는 것이
아니라고 보았습니다.

기독교와 이슬람교 및 불교와 힌두교 등
고대로부터 인류의 신앙생활을
지배해 온 거대종교들은
이름난 현자들의

집단적 사상을 집약하여
종교적 교리의 일부로서
이 근본문제에 대한 나름대로의
해답들을 제시하여 왔습니다.

종교적 해답인 만큼
과학적 증명이 없는 독단적 교리로
주입되는 것이지만
이를 믿는 신도들에게는
정신적 안식을 부여하면서
결과적으로 인간사회의
안정과 결속에 기여했습니다.

이것이 싯타르타, 공자, 예수, 모하메트 등
주요한 종교사상의 지도자들이 나타난
고대사회 이후 중세가 저물 때까지의
대체적인 지구적 상황이었습니다.

근대사회에 들어와서야 인류는
과학적 방법으로 우주와 인간의
근본 문제들에 대하여
객관적으로 검증될 수 있는 해답들을
발견해 내기 시작했습니다.

이는 인류역사에 처음 일어난
획기적인 변화로서 보통
'과학혁명'이라 일컫는 사건입니다.

과학혁명에 의하여
공자나 고타마 싯타르타가 수행하고
나자렛의 예수가 설교할 시대에는
아무리 지혜가 깊고 修道를 철저히 해도
도저히 알아낼 수 없었던
우주의 실제 현상과 운행법칙 및
생명과 인체의 본질에 대한
폭넓은 지식이 축적 보편화되었습니다.

하지만 근대의 과학혁명을 통한
합리적 사고방식의 도입도
'세상의 근본적 의문'들을
해소하기에는 역부족이었습니다.

19세기 초 서양 과학을 통달하고
철학의 사조를 집대성한 임마누엘 칸트도
이러한 근본적 문제들은
인간 이성의 능력으로는 알아낼 수 없는
'이성의 영역 밖의 문제'라고
솔직히 인정한 바 있습니다.

하지만 다시 20세기에 이르러
진일보한 새로운 차원의 과학적 혁명이
일어나기 시작했습니다.

이를 '현대 과학혁명'이라고 구별해 봅니다.

현대 과학혁명의 주요한 성과로는,
19세기 중반 다윈의 진화론이 등장하여
인간을 비롯한 생물 종(種)의 생성을
과학적으로 인지하기 시작한 점으로부터
20세기에 들어와서
거시 우주에 대한 상대성이론,
미시 세계의 양자역학,
유전자의 구조 발견을 비롯한
생명과학의 발전을 들 수 있고
이를 통하여 우주의 생성과 운행구조,
지구의 생성 역사, 인간의 출현 경위 등
에 관하여 객관적으로 입증된 많은
과학적 지식들이 형성 체계화되었습니다.

이러한 진일보한 현대과학적 지식들은
전체 우주의 생성과 지구의 형성 및
생명의 탄생, 인간의 진화 등 과거
인간이 理性에 의하여 아무리 생각해도
객관적 진리를 찾을 수 없었던

9

주제와 영역에 대하여 새로운 해결방안을
찾을 수 있는 길을 열어 주었습니다.

그리하여 고대사회에 정리되어
지금까지 남아있는 종교 교리들과 달리
보편화된 현재과학의 상식으로
'세상의 기본적 의문들'의
주요한 내용들에 대하여 상당히
합리적인 해답에 도달하고 있습니다.

이제 이 근본적 의문들은
독단적이고 교조적인
종교철학의 문제로부터
객관적이고 과학적인
사실 입증에 기반을 둔
현대 일반상식의 문제로
전환될 수 있게 되었습니다.

목 차

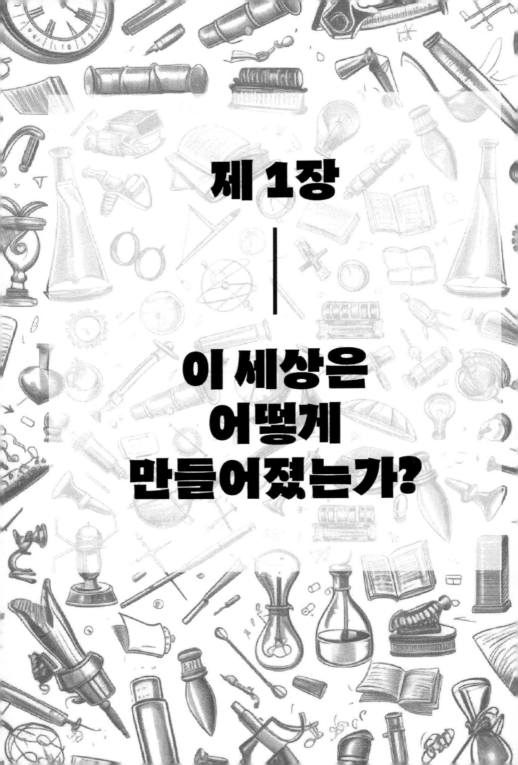

제 1장

이 세상은
어떻게
만들어졌는가?

1-1. 우주의 탄생

- 138억년 전 빅뱅 인플레이션

이제는 널리 알려져 상식이 된
우리 우주의 탄생에 관한 정설을
현대 일반인의 입장에서
정리해 봅니다.

인간은 우주와 생명의 기원(起源)에 관하여
태고적부터 진지한 호기심을 가지고
탐구해 왔습니다.

근대 과학혁명에 의하여 인간이 발견한
가장 중요하고 기본적인 우주 운행의 법칙은
'우주(삼라만상 자연을 포함)가
일정한 물리적 기초 위에서
수학적 법칙에 따라 작동된다'는 점입니다.

이 세상은 어떻게 만들어졌는가?

수학적 법칙이란
그 본질이 동어반복(=)이므로
결국 우주는 사물의 이치 상
너무나 당연하게 움직인다는
뜻이 됩니다.

이는 고대 그리스의 사상에서
단초가 있었지만 근대에 들어와
갈릴레오로부터 본격화된 생각이고,
17세기에 이르러 아이작 뉴턴이
만유인력의 법칙으로
이를 정리해 내었습니다.

그러나 뉴턴도 광막한 우주가 어떻게
만유인력을 서로 즉각적으로 감지하여
작동하는지 이유를 잘 알지 못했습니다.

뉴턴 본인은 세상만물의 법칙을
완전히 정확히 풀었다고 생각했겠지만
실제는 그렇지 못했던 것입니다.

200여년이 더 흘러 20세기 초
아인슈타인이 광속불변의 실험 결과로부터
특수상대성 이론과 일반상대성 이론을
수학적 방법으로 차례로 도출해 내고
이것이 실제 관측으로 확인됨으로써
이 의문을 정확히 해소시키는
획기적 전기가 이루어졌습니다.

오늘날 인간이 우주공간에 띄운
허블·웹 망원경에 의하여
거시세계에 대한 발견은
더욱 깊숙이 진행되고 있고
먼 우주의 빛을 포착하여
빅뱅 후 초기에 형성된 은하의 모습까지
확인하게 되었습니다.

이러한 현대적 관측의 결과는
아인슈타인의 이론을 실제로
보다 자세히 검증하여 줌으로써

이 세상은 어떻게 만들어졌는가?

인간의 우주에 대한 지식과 인식을
비약적으로 넓혀주었습니다.

관측에서 확인된 팽창속도에 비추어
우리가 존재하는 우주는
약 138억 년 전에 있었던
공간과 물질의 상상을 넘는 폭발적 팽창,
이른바 빅뱅(Big Bang) 인플레이션에서
기원되었음을 추론할 수 있게 되었습니다.

우리가 보통 말하는 '천지창조'는
이때 이렇게 시작되었습니다.

이렇게 말할 수 있는 것은
수학적으로 검증되어 추론되는
물리이론의 결과이며
관측에 의하여 확인되기 때문입니다.

우주가 약 138억 년 전 한 점에서
급속히 팽창하여 시작되었다는
빅뱅 인플레이션의 논리는
아인슈타인이 일반상대성이론에서
도출한 유명한 장방정식을
우주적 차원에 적용하여 계산할 때
처음으로 예견되었는데,
허블이 우주팽창을 관측하고
빅뱅의 잔재로 아직 남아있는
우주배경복사파가 발견됨으로써 입증되어
과학계의 통설로 자리잡은 것입니다.

빅뱅 인플레이션으로 인한
우리 우주 시작점의 발견은
싯타르타로부터 칸트에 이르기까지
이 세상 창조는 인간의 이성으로 알 수 없다는
종래의 비관적 생각으로부터
인류가 벗어날 수 있게 해 준
획기적인 전환점이라 하지 않을 수 없습니다.

이 세상은 어떻게 만들어졌는가?

1-2. 우주의 운행법칙
상대성이론의 구조

아인슈타인의 특수상대성 이론은
'빛의 속도가 일정·불변'이라는
명확한 관측사실을
이론적으로 받아들이는 데서
출발했습니다.

어떤 운동상태에서 나온 빛이라도
광속이 일정하기 위해서는
운동물체의 시간의 흐름이
상대적으로 변해야 하며
길이와 질량도 속도에 따라
달라질 수밖에 없습니다.

그래서 광속에 가까운 비행물체는
질량이 무한대에 접근하게 됩니다.

여기서 질량과 에너지는
E=mc²의 등식과 같이
서로 전환됨이 수학적으로 밝혀졌습니다.

이처럼 특수상대성 이론의 대전제는
광속이 불변이라는 점에 있는데,
누구나 간단한 사고실험(思考實驗)을 통해
광속불변(光速不變)의 원칙은
세상 만물과 사건들이 실재하고
허구와 구분되는 현실이 존재하기 위해서
반드시 전제되어야만 하는
법칙임을 알 수 있습니다.

(사고실험은 다음과 같습니다.
지구상 어느 교차로에서
A, B 두 차량이 충돌하는
교통사고가 났습니다.
만약 광속 불변이 아니라면
이 사고를 먼 우주의 다른 별 들에서

이 세상은 어떻게 만들어졌는가?

관찰하고 있다고 할 때
A차량의 진행방향 앞에서 다가오는
a별의 관찰자에게는
A차량의 교차로 진입이 빨라지는
것으로 보여야 하고,
B차량의 진행방향 앞에서 다가오는
b별의 관찰자에게는
B차량이 교차로에 빨리 진입하여
사고를 피하는 것으로
보여야 할 것입니다.
지구상에서 일어난 교통사고 사건이
우주의 확정적 현실이 되기 위해서는
광속이 모두에게 일정하여야
할 수밖에 없습니다.)

최종적으로 E=mc²의 결론에 이르는
특수상대성 이론은
고등학교에서 가르치는
일반수학에 의해서도 증명되므로

수학 물리학의 전문가가 아닌 일반인도
시중의 설명책자를 보면서
수학적으로 충분히 풀어볼 수 있습니다.

특수상대성이론에서 더 나아가
일반상대성 이론은
'중력이 가속도와 등가관계'라는
전제에서 출발했습니다.

이를 통하여 중력은 가속도로 전환되어
수학적으로 그 의미를 계산하고
분석해 낼 수 있게 됩니다.

다만 일반상대성 이론을 도출하는 과정에는
고난도의 다차원 리만 수학이 적용되어야 하며
수학의 전문가가 아니면
직접 도전하여 풀어볼 수 없는 정도로
이 수학은 난해하다고 합니다.

이 세상은 어떻게 만들어졌는가?

아인슈타인조차도 이 수학을 익혀서
적용하는데 많은 난관을 겪었고
다년간의 시간적 노력이 소요되었습니다.

그럴 정도이니까 일반인으로서는
우주의 기본원리에 관심이 있더라도
일반상대성 이론을 수학적으로
직접 풀어볼 노력까지 할 필요는 없고
그 원리의 결과만을 이해하는 것으로
충분할 것입니다.

뉴턴 이래 중력은
물질 사이에 존재하는 불가사의한
힘으로만 생각되어 왔는데,
아인슈타인은 일반상대성 이론을 통하여
중력이란 물체의 질량이 시공간을
휘게 한 결과를 나타낸 것임을
수학적으로 규명하여
중력의 본질을 확실히 밝혀 주었습니다.

이는 질량이 없는 별빛이
개기일식 때 태양을 스치면서 굴절되는
현상이 실제로 관측됨으로써
현실로 증명된 바 있습니다.

또한 우주에서 별의 충돌 등
급격한 질량 결합이 일어나면
중력파가 발생하는데
이는 광속으로 시공간에 전달되는바
중력파 또한 2016년에 이르러
먼 우주에서 일어난
블랙홀의 결합을 관찰하는데
성공하면서 측정되었습니다.

일반상대성론에 의하면 우주는
정적 상태를 유지하는 것이 아니라
팽창하든지 수축하든지 하는
동적인 상태에 있어야 합니다.

이 세상은 어떻게 만들어졌는가?

현재 우주가 팽창하고 있는 속도를
관측한 결과를 감안하면
오래 전 우주의 물질이
한 데 모여 있었다고 볼
특정 시점이 존재하게 됩니다.

과학자들의 계산에 의하면
우주는 약 138억 년 전
한 특이점으로 집중되며
여기에서 우주가 급속히 팽창하여
형성된 것이라는 결론에
이르고 있습니다.

우주의 팽창은 허블이
별빛의 적색편이를 관측하여
확인되었을 뿐 아니라,
우주 대폭발 즉 빅뱅 인플레이션 또한
관측에 의한 증거를 가지고 있습니다.

빅뱅에 의하여 발생한 폭발의 파장이
현재까지도 우주의 가장 먼 곳으로부터
넓게 퍼져서 전파로 감지되고 있습니다.

우주 배경복사파라고 하는 이 전파는
지금도 텔레비전 빈 채널의 잡음으로
지구상의 모든 사람들에게
쉽게 확인되고 있습니다.

우주의 모든 물질과 에너지가
빅뱅 인플레이션으로 생성된 것과 함께
시간 또한 여기서 출발하고 유래합니다.

시공간이라는 차원 자체가 여기서
생성되어 출발하였기 때문입니다.

이 세상은 어떻게 만들어졌는가?

1-3. 상대성이론과 인간의 우주인식 변화

상대성 이론은 지구에서 태어나
땅에 붙어서 생활하는 인간들의
경험적 인식에서 나오는
직관적 판단과는 전혀 다른
우주법칙을 도출합니다.

이 점이 인간의 경험 감각에
자연스럽게 부합하는 이전의
뉴튼의 중력법칙과는 매우 다릅니다.

갈릴레오에서 뉴튼에 이르는
근대적 과학법칙이
종래의 천동설에 입각한 세계관을
완전히 뒤엎는
코페르니쿠스적 변혁이라고 하지만,

지구가 구형이라는 점은
이미 고대 그리스의 철학자도
생각한 부분이었고
금성 화성과 목성 등 천체에서 이상한
갈지(之)자 운행을 하는 별이 있다는 것은
이미 고대로부터 관측되었던 사실입니다.

다만 이전에는 운행법칙을 모른 채
그저 경험, 신앙으로만 받아들인 것을
뉴튼 이후 근대과학의 발전 결과
세상 만물의 운행이
물리 수학법칙에 의하여
이루어진다는 것을 알게 되었고
이를 계산하거나 예측할 수도
있게 되었던 것입니다.

물론 17세기 당시로서는
이것은 인류의 세상 인식에 있어
커다란 진전이며
혁명적 변화라 할 수 있었습니다.

이 세상은 어떻게 만들어졌는가?

그러나 일반상대성 이론은

우주 전체에 적용되는 법칙으로서

수천억 개의 은하계 집단과 함께

역시 수천억 개의 별이 속한 우리 은하계,

우리 지구가 속한 태양계 등

우주의 삼라만상 모두에 적용되며

그 운행을 설명해 줍니다.

문제는 일반상대성 이론의 내용이

우주적 규모의 시공(時空)을 기준으로 삼을 때

극미한 규모의 지구계(地球界)에서

찰나적 순간을 수명으로 하여 살아가는

우리 인간에게 그 경험과 직관에 반하여

매우 이해하기 어렵다는 데 있습니다.

상대성이론으로 모습을 드러낸

우주의 근본법칙은

지구 표면에서 보이는 대략적 세상법칙에

젖어 살고있는 인간이

단지 깊이 명상하고 사색한다고 하여
깨달음을 얻을 수 있는 내용이 아니었습니다.

이 세상 즉 우리 우주는
우리 인간이 지구에 살면서
당연시 하는 세상법칙과는 전혀 다른,
이전에는 상상조차 하지 못한
이상한 방법으로 생성·운행되고
있었던 것입니다.

인류는 경험과 직관적 사고범위를 넘어선
이 우주법칙을 발견함으로써
원시를 벗어나 문명을 시작한 고대로부터
그토록 알고 싶어 하던
수수께끼들을 푸는 데에
커다란 진전을 보았습니다.

즉 '이 세상은 어떻게 생겨났는가?' 하는
근본적 의문을 푸는
결정적 열쇠가 제공된 것입니다.

1-4. 이 세상의 미시적 구조

- 양자역학과 불확정성 원리

물질을 계속 쪼개어 나가면
최소단위의 입자에 이를 것이며
이것이 만물의 구성요소라는 생각은
고대 그리스 시대 이래 존재했습니다.

물질이 무한하게 쪼개지고 나누어지는가
하는 근본 문제에 관하여
극히 미세한 영역으로 들어가면
더 이상 쪼개질 수 없는 물질의 단위에
이른다는 원자론(原子論)은
근대과학 이후 서서히 발전해 왔습니다.

20세기에 들어와 원자론을 양자역학으로
더욱 발전시킨 과학자들은
물질의 최소단위로서

양성자 중성자로 구성된 핵과
주변을 도는 전자로 구성된
원자의 구조를 알아내었으며.
더 나아가 원자가 다시
더 작은 입자들로 구성된다는
사실까지 밝혀내게 되었습니다.

이른바 쿼크(quark) 입자로서
쿼크에는 각기 다른 특성을 가진
여러 종류가 존재한다고 알려져 있는바
쿼크야말로 지금까지 알려진
물질의 최소단위인 것입니다.

이와 같은 미시세계에서도
인간의 일반적 경험과 직관에는
전혀 부합하지 않는 현상들이 일어나며
인간이 상식적으로 믿기 어려운
물리법칙이 작동합니다.

이 세상은 어떻게 만들어졌는가?

과학자들의 관측에 의하면
전자와 빛은 파동과 입자의 성격을
함께 가지지만
다른 물질과의 상호 작용이 없는 한
파동의 형태를 띨 뿐입니다.

우주에서 아무런 상호교감이 없을 때
물질은 사라지고 에너지만 남을 뿐입니다.

물질과 에너지의 호환은 아인슈타인의
$E=mc^2$의 공식에서 나타난 바 있습니다.

원자의 주위를 도는 전자는
정해진 궤도를 가지고
핵의 주위를 회전하는 것이 아니라
가능한 궤도 속에서 나타날
통계적 확률로서만 존재합니다.

빛으로 전자를 관찰하여 입자화시키면
빛과의 상호작용으로
이미 전자의 운동은 교란되어
측정이 불가능해 집니다.

이처럼 물질의 최소단위는
사전에 위치를 정확히 파악할 수 없고
확률로서만 존재를 파악할 수 있습니다.

우주에 가득한 에너지,
즉 동양적 표현으로 기(氣)가
물질의 본질적 기반이며,

그 상호작용으로 형상화된 물질은
미리 정하여진 모습으로
정하여진 법칙에 따라 움직이기만 하는
예측 가능한 존재가 아니라
근본적으로 불확정한 미래를 가진 존재입니다.

이 세상은 어떻게 만들어졌는가?

입자가 파동으로 사라지는 현상이나
확률로서 존재하는 현상은
물질의 최소단위인 극미세계에서만
관찰되는 것이지만
이는 물질 자체가 원래
본질상 '불확정성 원리'에 의하여
지배되는 것임을 알 수 있게 합니다.

즉 이 세상은 모든 것이
정해진 운명에 따라 흘러가기만 하는
이른바 결정론적 법칙에 따라
운행되는 것이 아니며,
인간과 같은 지적 생명체는
자신의 의지와 결정에 따라
미래의 자신을 달라지게
할 수 있다는 것을 의미합니다.

이것이 우주의 근본법칙입니다.

1-5. 이 세상 우주의 출발

- 시간의 시작점

전후 좌우 상하의 3차원은

공간을 설정하여

물질이 존재할 수 있게 하지만

이것이 움직임 즉 운동을 하기 위해서는

시간이라는 차원이 다시 필요합니다.

시간의 차원이 없다면

사물은 공간 속에서

그냥 멈추어 있을 뿐입니다.

물질의 미세구조를 들여다보면

결국 분자 및 원자 구조로 들어갈 것인데

이곳에서 입자들은 부단히 운동하면서

원자나 분자 등 단위를 구성하고 있습니다.

이 세상은 어떻게 만들어졌는가?

그러므로 입자의 운동이 없이는
물질의 존재 자체도 불가능하며
결국 운동을 가능케하는 시간의 차원은
우주와 삼라만상의 존재 자체를 위하여
필수적으로 있어야만 하는
차원이라 할 것입니다.

과학적 이론과 발견에 따르면
시간과 공간은 138억 년 전
빅뱅 인플레이션으로 시작되었습니다.

그러면 빅뱅 이전은 어찌 된 것일까요?
이러한 질문은 북극점에 도달하여
'더 북쪽은 어디인가' 라고
질문하는 것과 같습니다.

빅뱅으로 시간이라는 차원 자체가
시작되었기 때문에
이 질문 자체가 무의미한 것입니다.

그럼에도 불구하고 우리가
이러한 생각을 자꾸 떠올리는 이유는
한정되고 안정된 시공간에서
잠시 살다가 사라져버리는 인간은
시간이 과거-현재-미래로 구성된
직선적 연결 속에서 모두에게 똑같이
항상 일정하게 흐르고 있다는
경험적 감각에 사로잡혀 있기 때문입니다.

물론 빅뱅 인플레이션 이론이
현재 시점의 우주과학의 수준을
반영한 것일 뿐 완벽한 것은 아니고
암흑물질 암흑에너지 등
여러 중요한 새로운 변수가 제시됨으로써
계속 논의되는 주제이기는 합니다.

하지만 지금까지 천체과학의 통설로서
이제는 상식으로 받아들여지고
있는 것으로 보입니다.

이 세상은 어떻게 만들어졌는가?

빅뱅 이전의 시간이

존재하지 않는다고 하더라고

빅뱅이란 사건의 인과관계는 존재할 것인바

여기서 빅뱅의 원인에 대해서

인류는 아직 과학적으로 완벽히

밝혀내지 못한 한계를 보이고 있습니다.

다중우주설 등 여러 거창한 가설들이

주장되고 있지만 어느 것도

상대성 이론과 같이

관측으로 증명된 부분이 아니며

앞으로도 당분간 모두가 수긍할만한

검증된 정론이 확립될 수

있을 것 같지 않습니다.

그러나 이 세상이 어떻게 존재하게 되었나 하는

근본적 의문에 통찰을 얻기 위해서라면

지금부터 138억 년 전 빅뱅으로 인하여

현재의 우주가 창조되었고

시간이 여기서 시작되었다는 점을
인식하는 것만으로 충분하다고 생각됩니다.

이 세상은 어떻게 만들어졌는가?

1-6. 이 세상 우주의 진행

- 열역학 제2법칙과 시간의 불가역성

상대성 이론에 의할 때
시간은 공간의 차원들과 같이
하나의 차원으로서
과거에서 현재를 거쳐 미래로
일정한 속도로 흘러가기만
하는 것이 아니며,
반드시 과거에서 미래로 향하는
방향성이 정하여진 것도 아닙니다.

그러나 우주 에너지의 흐름을 지배하는
다른 우주법칙이
시간의 흐름에 개입합니다.

그것은 내연기관의 효율을 연구하는
열역학 전문가들에 의하여 발견되어

일반적으로 열역학 제2법칙이라고 불리는
에너지 법칙입니다.

이 법칙에 따르면, 에너지의 유입이 없는
폐쇄된 물질계의 내부 운동은
분자들의 무질서도(엔트로피)가 증가하는
방향으로만 진행됩니다.

물론 자연적 무질서화의 과정 중에는
우연히 질서화된 모습이
나타날 수도 있겠지만
이러한 확률은 지극히 낮습니다.

외부 힘이 가해지지 아니하는 상태에서
우주의 물질 운동의 흐름은
분자들의 무질서도가 자연적으로 증가하는
방향으로만 진행되며
이것이 우리 인간이 보통 느끼는
시간의 방향성입니다.

이 세상은 어떻게 만들어졌는가?

이 법칙도 사실 실제실험 없이
사고실험만을 통해서
충분히 도출될 수 있습니다.

미시적 세계로 들어갈 때
각 분자들은 끊임없이 운동하며
주변의 분자들과 상호 충돌하고 있으므로
그 과정에서 서로 운동에너지를 전달받고
상호 운동량이 평준화하는 방향으로
진행될 수밖에 없을 것이므로
이 과정이 전체적, 거시적으로는
엔트로피 즉 무질서도 증가법칙으로
표현되는 것입니다.

우리가 보통 상상하는 과거로의 시간여행은
우주가 하나의 폐쇄계인 이상
우주 전체의 엄청난 엔트로피를
감소시키는 현상이 되므로
일어날 수 없는 것입니다.

즉 우주 전체의 모든 분자들에게
힘을 가하여
이전의 운동상태로 돌려야 하는데
이것은 가능하지 않습니다.

또 만약 순수하게 과거로 되돌리는
시간여행이 가능하다면
우리가 존재하는 현재의 시점은
가상과 허구의 것으로
돌변해 버리게 됩니다.

마치 현재가 실재하기 위해서
빛의 속도가 불변이어야 했던 것처럼
우리가 존재하는 현실이
허구가 되지 않기 위해서
시간은 과거로 돌아갈 수 없는
것이어야만 합니다.

이 세상은 어떻게 만들어졌는가?

시간의 불가역성은 광속 불변처럼
논리적으로 불가피한 우주 법칙입니다.

그러나 미래를 향하여
시간적 흐름이 변하는 것은
이 법칙에 반하지 않으며
일반상대성 이론은 그 가능성을
확실히 열어주고 있습니다.

우주 만물의 운행은 전체적으로
우주의 구성 분자들이 갈수록
더 무질서해지는 방향으로
항상 이루어지며,
이는 우주가 특정한 질서를 실현시키기 위한
목적을 가지고 운행되는
'결정론적 존재가 아님'을
말해주는 것이기도 합니다.

1-7. 이 세상 우주의 팽창

- 핵융합과 초신성폭발, 별의 생성과 사멸

138억 년 전 빅뱅 인플레이션으로
급속히 팽창해 나간 우주는
가장 기본적 원자인 수소와 헬륨으로
구성되었는데
이들 물질들은 서로 이끌려
점차 커져 별들을 형성했습니다.

이들 최초의 별 즉 항성들 안에서는
수소원자나 헬륨 원자들이
극도의 고온과 압력 하에서
좀 더 큰 원자인 탄소 등으로 변환하는
핵융합반응이 일어나고
핵융합 전후의 질량 차이로
엄청난 에너지가 발생하여
다시 핵융합반응을 지속케 하였습니다.

이 세상은 어떻게 만들어졌는가?

수십억 년 간의 핵융합반응 끝에
결국 수소원자의 연료를 소진한 별들은
보다 무거운 원소들을 남기고 소멸합니다.

소멸된 1세대 별들이 남긴
보다 무거운 원소 물질들은
우주에 충만한 기초재료라 할 수 있는
수소 헬륨들과 다시 결합하여
다음 세대 즉 제2세대의 별들을 형성합니다.

여기서는 수소 헬륨 뿐만 아니라
더 무거운 원소가 결합하여
다시 핵융합 반응을 지속하며,
핵융합의 과정에서 이제는 더 무거운
산소와 질소 등의 원자들이 생성됩니다.

제2세대의 별들에서
수소 헬륨 및 탄소 등의 물질이
핵융합으로 소진되면

그 별들의 무거운 원소들은
중력에 의하여
내부로 다시 무너져 축소됩니다.

이 때 규모가 큰 별들은
무거운 원소들이 급속히 내부로 무너져서
핵융합 반응을 일으켜
우주적 규모의 어마어마한 대폭발을 일으키는데
이 현상이 초신성(supernova) 폭발입니다.

초신성이 폭발로 인하여
그 내부에서는 아주 다양한 원자들이
핵융합으로 발생하는데
원소 주기율표상의 거의 모든 금속들이
이 때 생겨나며
금과 은 수은 우라늄 등이
이러한 무거운 원소들입니다.

이 세상은 어떻게 만들어졌는가?

한 세대의 별의 주기를

대략 40억년 내지 50억년 정도로 볼 때

지금으로부터 약 45억년 전 형성된

우리 태양은 제3세대 별에 속합니다.

태양은 선대의 초신성 폭발로 생겨난

여러 금속 원자들을 포함하게 되었고

태양계의 행성인 지구 또한

그 생성 이전 약 90억년 간의

장구한 세월에 존재했던

1-2세대 별들을 거치면서

초신성 폭발의 잔해로 남게 된

풍부하고 다양한 원소들을 가진

행성으로 태어났습니다.

이 세상은 어떻게 만들어졌는가?

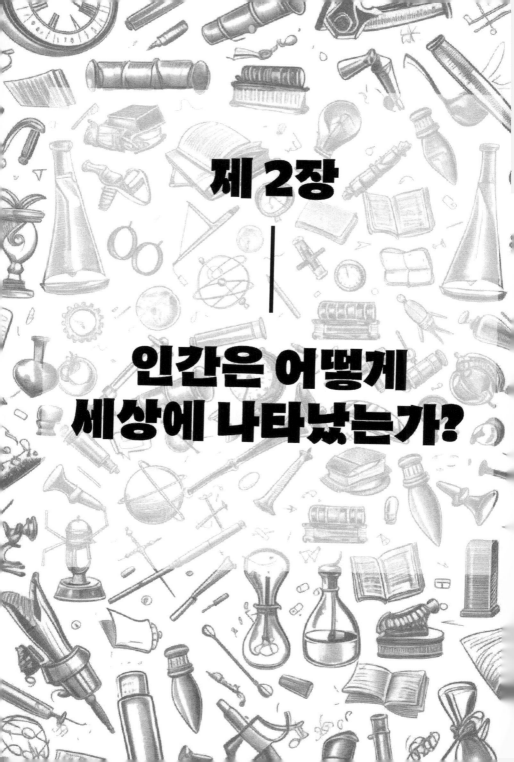

제 2장

인간은 어떻게
세상에 나타났는가?

2-1. 태양과 지구의 탄생

-생명 출현의 최적 환경 골디락스 존

45억년 전 초신성의 잔해와
수소 등 우주가스가 응집하여
태양과 함께 탄생한 지구는
형성의 초기단계에 원시 행성과의 충돌로
달이라는 위성을 확보하고 그 인력으로
기울어진 궤도가 안정적으로 운행되는
상태를 유지하게 되었습니다.

또한 소행성들과 잦은 충돌로
다량의 물(H_2O)을 확보하였습니다.

물질이 원자에서 분자로 결합하고
다시 더욱 복잡한 분자적 화학결합이
이루어지기 위해서는
분자의 상호 활동이

인간은 어떻게 세상에 나타났는가?

너무 과격하지도 위축되지도 않은
적당한 운동상태가 필요합니다.

H_2O가 액체상태로 놓일 때
분자들은 최대의 화학반응과
생명반응을 발생시킬 것인데
이러한 조건을 가진 행성의 위치를
과학자들은 골디락스 영역
(Goldilocks Zone)이라 칭합니다.

지구는 태양계에서 골디락스 존에
위치하는 행운의 행성입니다.

이제 태양계에 배열된 여러 행성 중
지구는 우연히 운좋게도 태양과
적절한 위치에 자리잡음으로 인하여
태양의 열을 적당히 받아서
우주에 가장 풍부한 수소와
화학반응에 민감한 산소가 결합한

H_2O가 상시적 액체 상태를 유지하면서
생명 탄생의 화학반응을 할 수 있는
조건들을 가지게 되었습니다.

그러면 우리 우주에서 이와 같은
생명 탄생의 조건을 갖춘
행성의 수는 얼마나 될까요?

우리 은하계의 항성의 수를
2,000억 개 정도로 보고
우리 우주의 은하계의 수도
2,000억 개로 추산하여
통계적으로 이를 확인할 수 있을 것입니다.

매우 보수적으로 계산하여
10개의 항성들 중 적어도 하나는
행성들을 보유한다는 전제한다면
200억×200억 개 이상의
행성이 존재할 것입니다.

인간은 어떻게 세상에 나타났는가?

그리고 이들 행성들 중
골디락스 존에 속하여
생명을 탄생시킬 확률에 대하여
리처드 도킨스는 이를 매우 보수적으로 잡아서
10억분의 1의 확률로 계산한 바 있습니다.

이런 보수적인 확률계산에 의하더라도
우리 우주에는 생명을 탄생시킬 조건을 가진
행성의 수가 4,000억 개 존재한다는
계산에 이릅니다.

우리 우주의 거의 무한한 넓이를
염두에 둔다고 하더라도
4,000억 개의 생명체 세상이
존재할 것이라는 것은
이 우주에서 생명체의 존재가 결코
예외적 현상이 아님을 의미할 것입니다.

2-2. 생명의 탄생 진화와 인간의 출현

지구 지표면의 상당 부분을 뒤덮은

액체상태의 물(H_2O)이

안정적으로 존재하게 되자

분자들은 생명의 기본구조가 되는

아미노산으로 결합되었고,

이는 자기복제력을 가진

RNA 또는 DNA로 발전해 나가는

변화가 일어났습니다.

그리고 이들 자기복제력을 가진 분자들은

물 속에서 아미노산과 결합하여

자신들의 보호막이 될 세포를 형성했습니다.

지구상에서 일어난

이러한 단세포의 출현이

바로 '생명의 탄생'입니다.

생명 탄생의 이러한 과정은
하나의 의도된 방향성을 가진
분자 결합의 극적 발전이라 할 수 있습니다.

어떠한 원리에 의하여
이러한 최초의 생명이 자연적으로
탄생하였는지에 관하여서는
과학적 탐구가 진행 중이나
충분히 납득할 만큼의 정론은
세워지지 않고 있습니다.

다만 최근 주장에 의하면
탄생 초기의 지구에는 유성 충돌
등의 현상이 지속되는 가운데
대기 불안정으로 많은 뇌우가 몰아치는
환경이 매우 장기간 지속되었으며
뇌우는 지상과 바다 속의 분자 결합을
화학적으로 변화시키는
에너지 역할을 함으로써

자기복제가 가능한
최초의 분자결합체가 생성되었다는
과정이 제시되기도 합니다.

아무리 분자결합을 바꿀
외부 에너지가 공급된다고 하더라도
정교한 자기복제 시스템을 가진 분자결합이
어떻게 우연히 탄생할 수 있겠는가
하는 합리적 의문이 당연히 생깁니다.

그 확률상 가능성은
사실상 제로라고 말할 수 있지만
초기 지구의 대기 환경에서는
뇌우가 빈번하여 그 회수를 계산하면
'억의 억' 번의 단위에까지 이르렀다고 하므로
이러한 무한에 가까운 횟수로는
정밀 설계도와 같은 자기복제의 분자결합도
탄생할 확률이 있다고 합니다.

인간은 어떻게 세상에 나타났는가?

아직 정론에는 이르지 못한 것으로
더 규명되어야 하겠지만
생명의 최초 탄생 과정이
반드시 신의 손길이 간 부분이라는
종래 인류의 생각에
균열이 생긴 것은 사실입니다.

안정된 바다가 형성된 이후
지구에는 수십억 년의 장구한 세월 동안
단세포 생물만이 존재했습니다.

그런데 5억5천만년 전에 갑자기
다세포의 무척추동물들이
해양에서 발생하였습니다.

이 기간은 생물의 진화에서
이른바 '캄브리아 폭발기'로 불립니다.

어째서 하필 이 시기에 와서
이러한 생명의 폭발적 증대현상이
일어났는지를 인류는
아직 정확히 모르고 있습니다.

이 시기 지구 역사상 생명의 진화에
가장 적합한 기후 등 최적 조건이
처음으로 이루어졌기 때문이
아닌가 생각됩니다.

육지는 무생물 상태가 계속되다가
약 4억년 전부터 식물들이 상륙하여
숲을 이루기 시작했습니다.

3,000만년 후에는 동물도
육지로 올라왔습니다.

육상 동물들은 계속 진화하여
몸집을 불리다가 2억3,000만년 전부터

공룡이 지배하기 시작하였고
이미 잘 알려진 바와 같이
약 6,500만년전 유카탄 반도에 떨어진
큰 유성과의 충돌로 인하여
공룡은 갑자기 완전히 멸종했습니다.

그 후 보다 몸집이 작은
포유류가 번성하기 시작한 이래
100만 여년의 진화에 의하여
유인원이 출현하고,
다시 18만 년 전 일어난 돌연변이로
언어유전자를 가지게 된
인간 종이 탄생했는데
이 무리가 우리의 조상인
호모 사피엔스(homo sapiens)입니다.

같은 인류의 종으로 네안데르탈인이나
인도네시아의 작은 인류인
호빗과 같은 다른 종도 나타났으나,

각각 3만년 전 또는
1만3,000년 전에 멸종했습니다.

인간은 어떻게 세상에 나타났는가?

2-3. 인간의 유전자와 진화의 구조

생물들의 진화의 역사는
지구상에 남은 화석들의 연구에 의하여
실증된 사실입니다.

잘 알려진 바와 같이 찰스 다윈은
갈라파고스 제도의 실제 생물들의
모습을 관찰하여 생물체는
보다 자연적 현실에 잘 적응할 수 있고
생존력이 강한 생물로 진화하여
나간다는 점을 최초로 착상하여
돌연변이와 적자생존에 기초한
진화론을 주장하였습니다.

이러한 진화론의 생물학적 기초는
오랫동안 밝혀지지 않았지만
20세기 중반에 이르러

세포핵 속에 존재하는 고분자화합물인
DNA가 유전의 원인이라는 것이 알려지고
이것이 이중나선의 구조로
자기복제를 한다는 것이 밝혀졌습니다.

이로써 인간의 유전과 진화에 대한 지식은
획기적으로 확장되었습니다.

인간의 모든 세포핵에 존재하는
각자의 DNA 분자는
부모로부터 이어받은 각 23쌍을 이루는
46개의 염색체들에 내포되는데
염색체를 이루는 DNA 분자 속에
담긴 유전자들에 의하여
유전정보가 전달됩니다.

DNA분자에는 A·C·T·G라는
4개의 염기 분자구조가 존재하여
A-T, T-A, C-G, G-C의 염기쌍으로만
상호 결합합니다.

인간은 어떻게 세상에 나타났는가?

이 염기쌍의 배열에 의하여
유전정보가 결정되는데
염기쌍의 수는
부모 각 30억개 씩으로서
합계 60억개에 이릅니다.

인체는 유전자의 암호를 해독하여
필요한 단백질과 세포를 만들어
구성되고 재생되면서 생존해 나갑니다.

다만 번식세포의 유전자는
그동안 쌍을 이루던 부모의 DNA를
절단·교차하는 방법으로 혼합하여
하나의 염색체로 만들어
상대의 염색체와 대응하게 됩니다.

여기서 부모의 유전자들을
하나로 혼합하는
교차과정이 나타나면서

긴 배열을 가진 유전자는
중간이 끊어지기도 하고
평균 1억 개의 유전정보 중
1개 정도에 복제의 오류가 발생하여
부모와는 틀린 유전암호가 적히게 됩니다.

인간은 태어날 때 평균 60개 정도의
DNA 돌연변이를 항상 지니는 것이며,
DNA 돌연변이는 예외가 아니고
늘 진행되는 현상입니다.

이러한 돌연변이는 대부분
유전정보가 없는 부분에서 일어나서
인체에 아무런 영향이 없지만
간혹 전체 DNA의 1.5%에 불과한
단백질 합성 유전정보 내에서
돌연변이가 일어나면
제대로 된 생체정보가 전달될 수 없어
선천적인 유전성 장애가 발생합니다.

인간은 어떻게 세상에 나타났는가?

하지만 드물게는 이러한 돌연변이가
현실에 더 잘 적응하는 방향으로
생체정보를 변형시키는 경우가 있고
이 유전자 돌연변이를 가지게 된 개체는
새로운 경쟁력이 있는
인체적 특성을 가지게 되어
생존과 번성에 더 유리한 조건을
얻게 됩니다.

인간과 동식물 등 지구상 생물들의
DNA 정보들을 비교 분석한 결과
지구상의 모든 생물은
DNA분자를 통하여 번식하고 있고
모든 생물의 유전자 정보는
DNA분자의 A,G,T,C의
네 가지 분자 정보를 통하여 만든
동일한 언어에 의하여
소통되는 것임이 밝혀져 있습니다.

인간의 언어는 수없이 다양하지만
모든 생물의 유전 언어는
동일한 하나의 언어였던 것입니다.

또한 모든 생물들은 일정부분 인간과
동일한 유전자 정보를 가지고 있으며
계통적으로 인간과 근접한 순서대로
인간과 공통된 유전자들을
더 많이 보유하였습니다.

이것은 생명 진화의
명백한 증거입니다.

다만 각 생물 종(種)의 진화 단계에서
당연히 보여야 할 중간 영역 종의
화석이 발견되지 않은 경우가 많았는데,
이러한 진화의 화석상의 갭은
부단한 발굴조사로 시간이 갈수록
새로운 화석들이 많이 발견됨으로써
계속 메꾸어지고 있습니다.

인간은 어떻게 세상에 나타났는가?

이제 진화의 공백지대는
거의 남아있지 않은 정도로
다양한 종의 화석의 발견이
이루어졌습니다.

2-4. 인간 진화의 미래

중간영역 종 화석의 발견과 DNA 구조해명 등
여러 생물과학적 발견과 발전은 모두
19세기 중반 다윈이 주창한
돌연변이와 적자생존에 의한 진화론이
올바른 것이었음을 과학적으로 입증합니다.

그럼에도 불구하고 우리는
인간과 같이 엄청나게 복잡한 생물유기체가
신의 손길 내지 누군가의 '지적 설계' 없이
갑자기 나타날 수 있는지
상상하기 어려워합니다.

인간이 이런 생각에서
벗어나지 못하는 이유는
생명의 진화가 인간의 수명에 비교하며
훨씬 긴 기간에 의하여 진행되는
현격한 시간차 때문이라 생각됩니다.

인간의 한 개체는

부모로부터 받은 유전정보 중

보통 60개의 돌연변이를 일으키는데,

한세대의 길이를 25년 정도로 보면

100년 사이 인간 유전자는

240개 정도의 돌연변이를

가지게 될 것입니다.

100만년이 되면 인간 유전자의

240만개의 정보가 변형됩니다.

그리고 그 중 1.5%의

단백질 합성 유전정보에 속한

DNA의 변형은

실제로 인간의 변형을 가져오게 됩니다.

이는 3만6,000개의

유전적 변형을 의미합니다.

인간의 전체 유전정보가
총 2만5,000개 정도로
파악하고 있으므로 이는
모든 유전정보가 변형되고도
남는다는 것을 의미합니다.

물론 이 중 환경에 적합하지 못한
대부분의 유전자 변형은
도태되겠지만
그 중 10%의 유전자변형만
환경적합성이 강한 것이라 본다면
전체 유전자 중 3600개의 변형이
실현된다는 것이 됩니다.

이는 인간의 전체 유전자의
약 15%에 해당합니다.

인간과 다른 모든 포유류와 사이에
유전자정보가 99% 가량 일치

하고 있는 점을 생각할 때
15%의 차이는
인간과 조류 내지 파충류의
차이와도 같이 현저히 큰 것입니다.

그러한 통계적 현실을 감안하면
인간이라는 종은 수십만 년 후
살아남는다고 하더라도
미래의 새로운 세상에 보다 잘 적응한
전혀 다른 새로운 종으로
탈바꿈해 있을 것임을
용이하게 추론할 수 있습니다.

더구나 이제 유전자공학이 발달해서
미래의 인류는 더 강해지기 위해서
스스로 유전자를 변형시킬
가능성조차 있습니다.

오늘날의 우리 모습과는 많이 다른
수십만년 전 인류조상의 화석 모습이
앞으로의 변화에 대한
방증이 될 수 있습니다.

거대 운석 충돌이나 화산폭발 등
지구환경의 돌발적 변화로
인류가 갑자기 절멸하는 상황이 아니라도
인류는 수십만 년의 세월이 지나면
진화의 법칙에 의하여 변형되어
현재의 인간과 닮으나 같지는 않은
어떤 다른 생명체가 되어있을 것입니다.

인간의 유전자는 개체의 수명을 넘어서
오랜 기간 존속해 나가지만
인간 개체의 수명은 진화의 시간표에서
찰나에 지나지 않으므로
그 한정된 기간 동안 감지될 만한
큰 진화가 이루지지 않아서

각 개체는 일생을 통하여
아무런 변화도 느낄 수 없습니다.

각 개체의 인간은 수억 년의
세월이 지나가면서 진행된
진화의 마지막 단계의 결과물만을
잠시 경험하고 느낄 뿐입니다.

따라서 진화는
인간의 일반적인 감각과 인지 능력을
벗어나 있는 초장기적 현상이고
백년의 짧은 생애주기를 가진
인간의 직관으로는
이를 쉽게 받아들이지 못합니다.

그러나 만년 단위의 우주적 시간표에서는
지금까지 빠르게 진화해온 것처럼
인간은 미래에도 진화해 나갈 것이며
상상 이상의 모습으로 변해나갈 것입니다.

2-5. 광막한 우주에 홀로 선 인간의 가치

상상조차 안되는 우주의 어마어마한 크기와
단세포로부터 인간에 이르는 생명 진화의
장구한 과정 등을 놓고 볼 때
현재 지구상에 살고 있는 인류는
우주적 관점에서는 참으로 하찮은 존재라는
생각이 절로 듭니다.

우주가 창조되어 운행된
138억년의 기간 동안
인간이 생명체로서 존재한 것은
겨우 몇십만년에 불과하고
문명을 일구어 역사를 가진 기간은
더욱 짧아서 우주적 관점에서는
일 순간에 불과합니다.

인간은 어떻게 세상에 나타났는가?

우주가 존재한 거의 전체 기간 동안
우주는 인간 없이도 잘 운행되었습니다.

우주를 창조 운행하는 절대자인 신이
인간을 우주의 중심에 놓고 배려했다면
이런 식으로 장구한 기간 동안
인간이란 존재를
무심하게 방치할 리 없을 것입니다.

현재 인류가 우주망원경을 통하여
발견한 우리 은하계의 항성들은
이천억 개를 넘고 있고
또 이러한 은하계가 수천억 개
존재함이 확인되고 있으며
그 개수는 계속 증가하고 있습니다.

광속보다 빠른 우주의 팽창속도로 인하여
인간이 아무리 훌륭한 관측을 한다 해도
빛이 닿지 않아 발견할 수 없는
우주 영역까지 존재합니다.

관측이 가능한 우주만 고려할 때
현재 계산되는 우주의 크기는
8.8에 대한 10의26승 미터라고 합니다.

이런 광막한 우주에서 어느 날
큰 유성이 지구와 충돌하여
지구가 파괴되고
인류 전체가 멸망한다 한들
우리 우주에게는 무슨 대단한 일이
벌어진 것도 아닙니다.

우주는 아무 일도 없었다는 듯
그대로 잘 운행되어갈 것입니다.

거의 무한대에 가까운 - 그러나
빅뱅의 팽창과정이므로 사실은 유한함 -
상상조차 불가능한 우주의 크기를 생각하면,
이 지구상의 인간은
티끌 같다는 말로도 부족한

초라한 미물(微物)이며,
인간 개체의 일생의 가치는
아무리 그 의미를 부여하려고
노력한다고 하더라도
우주적 차원에서는 그저 허무할 뿐입니다.

그러나 우주와 세상의 본질을
균형 있게 파악하기 위해서는
우주의 거대한 크기를 관찰함과 함께
물질 세상의 초미세 단위로 내려가
세상을 이루는 근본 요소를
파악하는 것도 필요할 것입니다.

우주와 세상의 거시적 면모와 아울러
미시적 면모 또한 이해해야만
우주의 이치를 온전히 아는 것이 됩니다.

아인슈타인이 은하계와 별의 운행 등
우주의 거시적 세계에서

잘 작동하는 상대성이론을 발견한 반면,
다른 많은 과학자들은
물질의 최소단위인 기본입자들의
미시적 세계에서 작동하는
물리법칙을 다루는 양자역학을
차근차근 발전시켰습니다.

미시세계에서 물질을 이루는 기본 단위는
원자로 알려져 있었지만
다시 이 원자는
양성자 중성자가 이루는 원자핵과
주변에 존재하는 전자로 구성됩니다.

그러나 이 입자들도 다시
쿼크(quark)라고 명명한
더 기본적인 소립자로 구성됨이
밝혀져 있습니다.

인간은 어떻게 세상에 나타났는가?

이러한 미시적 세계로 들어가면
시공간의 최소 단위인 플랑크 길이가
6.6에 대한 10의-34승 미터 크기이며
쿼크는 8.6에 대한 10의-19승 미터 크기로서
인간은 쿼크에 비하면
우주 전체 규모의 크기를 가졌습니다.

인간은 우주 속에서 매우 작은 존재이지만
쿼크나 플랑크 길이에 비교할 때에는
전체 우주의 크기보다 더 크며,
우주의 극대함과 극미함의 사이에서
딱 중간적 위치에 있는 존재입니다.

원자들은 핵의 크기와 성분에 따라
각종 원소들로
우주의 천체들과 지구 등
세상을 구성합니다.

분자들은 활동에너지 크기에 따라
응고된 고체나 활동성이 강한 기체로
나타나지만
적절한 활동에너지를 보유한
중간단계에서는 액체로 존재합니다.

이 액체 상태에서 상호
활발한 결합을 실행하여
세포를 이루고 생명체로서
활동하게 됩니다.

그러한 생명체가
고도의 사고능력을 가지는 단계에까지
최종 진화한 것이 인간인 셈입니다.

이렇게 보면 인간은
'천체와 은하계 등 거시세계와
원자와 쿼크 등 미시세계의 중간영역에서
물질의 상호작용이 활성화될 수 있는

인간은 어떻게 세상에 나타났는가?

적정한 에너지 환경을 만난 분자들이
활발히 결합하여 나타난
생명체의 진화 결과물'
이라고 할 수 있겠습니다.

이처럼 인간의 '우주 내에서의
예외적인 중용적 위치'를 생각하면
아무리 우주가 거대하고
물질의 기본 단위가 미세하더라도
인간이 우주에서 차지하는
어떤 특별한 가치와 의미를
감지할 수 있습니다.

우주가 인간만 창조하기 위하여
장구한 세월동안 그 큰 규모로
작동하여 온 것은 아닐지라도,
인간의 창조는 적어도 태양계를 둘러싼
수십 광년의 거리 내의 시공간 내에서는
특별한 조건에서 드물게 일어난

특이한 현상이며,
인간은 전체 우주적 관점에서도
소중히 관리될 의미와 가치를 가진
특별한 존재라고 생각합니다.

인간은 아직 모르지만 실제로는
우주의 구석구석에
수많은 생명체가 존재한다 하더라도
인간을 비롯한 지구 생명들을
소중히 지키고 번성시켜야 할
특별한 가치가 부정될 것은 아닙니다.

우주의 에너지와 생명력에 의하여
인간으로 태어나게 된 각 개체는
그 자체 가장 특이한 우주 현상이자
소중한 우주의 정령(精靈)으로서
한 사람 한 사람 모두가
우주적 가치를 지낸다고 생각합니다.

인간은 어떻게 세상에 나타났는가?

이 모든 우주 지식의 발견은

극히 최근의 일이며

반세기 전만 해도 몰랐던 것이므로

현 시대를 사는 인간은

이 세상 우주를 파악하는데

더욱 특별한 행운을 누렸습니다.

인간은 어떻게 세상에 나타났는가?

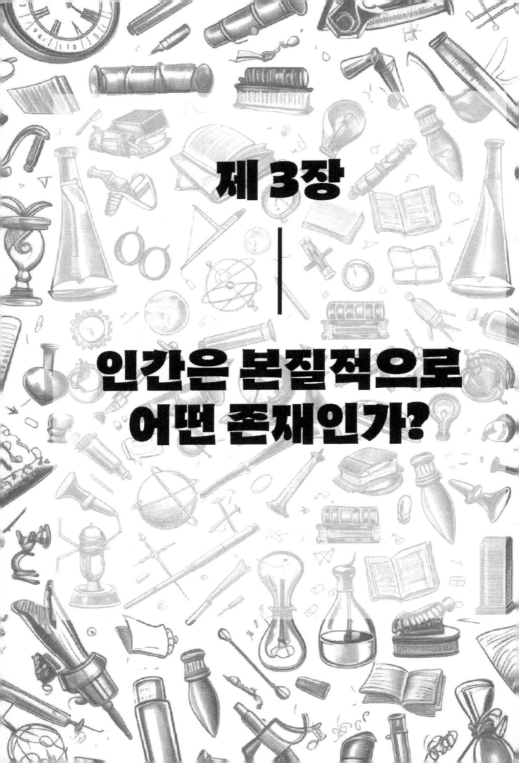

제 3 장

인간은 본질적으로 어떤 존재인가?

3-1. 진화된 인간의 자연적 모습

- 세속적 성공과 행복 추구

생존경쟁과 자연선택의 진화과정에서
지구상에 출현한 인간은
다른 동물과 마찬가지로
자기 자신을 보전하고
생물적 욕구를 충분히 채우면서
번식하고자 하는 본능을 가진 존재입니다.

그리하여 개체의 생존에 필요한
의식주(衣食住) 확보에
강렬한 본능을 가지며,
자손을 번성시키기 위한
성적 욕구를 지니고 있습니다.

이것은 인간이라는 종(種)이
생명체로서 존속·계승해 나가기 위해
가지는 생래적인 원초적 본능입니다.

인간은 본질적으로 어떤 존재인가?

다른 한편 인간은 진화의 최종단계로서

고도의 지능을 획득하여

여타 동물과는 다르게

자신의 사고능력으로

본능의 추구만이 삶의 목표가

될 수 있을까 하는 의문을 가지고

고민하는 존재이기도 합니다.

다른 동물보다 월등히 고도화된

이성(reason)을 무기로 문명화한 인간은

생존과 번식의 동물적 본능의 추구를 넘어서

보다 차원이 높은 행복(happiness)의

추구를 생의 목적으로 삼습니다.

일반적으로 인간은 이러한 행복이

재부(財富)를 원하는 만큼 모으든지,

권세(權勢)를 누리든지 또는

자신의 이름이 세상에 널리 알려지는

명성(名聲)를 얻든지 하는 것을

통하여 이루어진다고 생각하고
이를 실현하기 위해서 열심히 노력합니다.

(이 노력에 도움이 되기 위하여
시중에는 인간관계나 처세술에 관한
책들이 무수히 나오고 있습니다.)

사람에 따라 이 목표들 중 자신에게
가장 적합한 것을 선택하여
집중하여 실현하기도 하지만,
대개 이러한 세 가지 목표는
서로 연결되어 실현될 수 있으므로
꼭 어느 하나만을 정하지 않고
인생행로를 헤쳐 나가면서
이들을 가리지 않고
함께 추구해 나가기도 합니다.

대부분의 인간들이 일생동안
그토록 바라마지않는

인간은 본질적으로 어떤 존재인가?

이 세 가지 목표들은
단 하나의 단어로 알기 쉽게 정리하여
표현되고 있는데,
이것이 바로 '성공(success)'입니다.

요즈음 세태의 표현을 빌리면
이러한 성공을 달성하였다고 느낄 때
위너(winner)라고 하고,
그렇지 못한 경우를
루저(loser)라고 말하기도 합니다.

성공을 달성했을 때
사람은 행복할 수 있고
인생의 목표가 달성되는 반면,
성공을 이루지 못하면
결국 행복할 수 없고
인생의 목표도
이루지 못한다는 것입니다.

거의 대부분의 사람들이
이러한 삶의 태도와 방식을
따라가면서 살고 있고,
이러한 인간상들이 모인
거대한 인간 사회가
전 지구상에서 번성하고 있습니다.

여기서 인생의 목적은
"재부·권세·명성=성공=행복"
의 실현입니다.

인간은 본질적으로 어떤 존개인가?

3-2. 행복추구 본능의 생래적 결함

대부분의 인간들이

재부·권세·명성을 추구하면서

행복을 찾아 인생을 살아가는 것은

이러한 삶의 방식이

인간의 자연적 본성을 실현하고자 하는

거역할 수 없는 본능적 이끌림에

따르는 것이기 때문입니다.

그러나 이러한 본능적 이끌림은

그 자체로서 중대한 결함을 가지고 있으며

이 때문에 이를 맹목적으로 추구하기만 하면

인간의 삶은 결국 파국에 이른다는 것이

또한 인생의 아이러니입니다.

그 결함이란 재부·권세·명성을

얻고자 하는 인간의 욕심은

제동이 걸리지 않고 한없이 더
나아가기만 한다는 점입니다.

인간은 만족할 줄 모르는
욕구를 추구하는 과정에서
늘 행복하지 못하며
결국 그 상태로 죽어가게 된다는 것이
이 본능의 가장 큰 문제점입니다.

이러한 특성은 생명체로서의 인간에게
본질적인 부분인데
이는 다음과 같이 설명될 수 있습니다.

유전자를 싣고 살아나가면서
후세에 그 유전자를 전달하여 나가야 할
임무를 가진 생물유기체로서의 인간 개체는
유전자의 명령에 따라
재부와 권세 및 명성의 추구를
진행하면서 살아나갑니다.

인간은 본질적으로 어떤 존재인가?

그런데 여기서 유전자가
인간 개체의 행동을 조절하는
방법이 특이합니다.

즉 재부·권세·명성을 추구하는
일정한 목표를 세운 개체가
열심히 노력하여 이를 달성하면
세로토닌 도파민 옥시토신 등 일정한
생화학물질(이하 '행복호르몬'이라 함)을
분비하여 개체에게 행복감을 느끼게 하는
보상을 해 줍니다.

인간 개체는 바로 이
생화학적 현상으로 인하여
행복하게 되고 이 행복감이야말로
당해 개체의 인생의 목표입니다.

그러나 이러한 행복호르몬의 분비는
일시적일 뿐 지속적인 것이 아니어서

개체로 하여금
잠시 행복한 시간을 가지게 한 후
다시 정신을 차리고 주변을 돌아보며
경쟁적 현실로 복귀하게 합니다.

달성된 중간 목표는 어느새
당연한 것이 되어 잊어버리고
더 높은 목표를 아직 이루지 못함에
불만족하면서 마음을 새로이 다잡고
노력하기 시작합니다.

재부·권세·명성 획득에 대한
경쟁심이 부족한 개체들은
진화과정에서 적자생존의 법칙에 따라
자연선택을 받지 못하고
대부분 소멸되고 말았으며,
살아남은 주류는
강력한 비교 질투심을 가지고
'너무 쉽게 행복감에 안주하지 않도록'
진화된 개체들입니다.

인간은 본질적으로 어떤 존재인가?

목표를 달성한 인간은

잠시 만족감을 느낀 후 다시

보다 높은 목표를 달성한

다른 개체들의 상황에 관심을 돌리고

불쾌감과 불행을 느끼면서

질투와 투쟁심을 불태우며

새로운 노력을 시작합니다.

그리고 이 투쟁에서

다시 성공한다면 끝날까요?

이 과정은 생명이 다할 때까지 계속됩니다.

무일푼인 사람이 자수성가하여

십억 원을 목표로 이를 달성하고 나면

백억 부자들의 존재가 눈에 보이게 되고

그들에 비하여 가난함을 느끼면서

다시 노력하며 이어 백억 원을 달성하면

이번에는 천억 부자의 클럽이 보이게 되어

초라해집니다.

이 과정은
인간의 짧은 일생이 끝날 때까지
결코 중단되지 않습니다.

버틀란트 러셀은
"쥴리어스 시저는 이집트를 정복한 후
그곳에 있던 알렉산더의 묘에
찾아가 슬피 울었다.
자신은 아무리 해도
알렉산더를 뛰어넘을 수 없음을 알고
절망하여 그랬는데,
알렉산더 또한 아마도
헤라클레스(신화적 영웅)를 생각하며
열등감에 울었을 것이다"
라고 비유적으로 표현했습니다.

시저는 로마 역사 전체를 통틀어
최고의 영웅으로 평가받는 사람입니다.

인간은 본질적으로 어떤 존재인가?

인간은 욕망과잉의 생래적 결함을
가지도록 진화하여 태어난 생명체로서
일생 동안 내내 욕망충족을 위한
'시지푸스의 바위 굴리기'를 하면서
살아가야 할 존재로
만들어져 있다고 하겠습니다.

3-3. 이기적 유전자에 대한 대응

- 수양의 필요성

모든 생물들의 상위에 위치한

만물의 영장으로 신이 만든

최상의 완성품이 되어야 할 인간이

마치 '브레이크가 고장 난 채

욕망을 향해 내달리는 전차'처럼

되어버렸다는 것인데

인간은 왜 이렇게 잘못된 진화를

하게 되었을까요?

인간의 유전자는 자신이 속한 개체가

젊은 세포를 가져서

생화학적 반응을 열심히 하는 과정 중에는

사정없이 실적을 올리도록 독려한 다음

개체가 노화되면 미련 없이 버리고

다른 새로운 젊은 개체로 옮겨가는

이기적 전략을 쓰기 때문입니다.

인간은 본질적으로 어떤 존재인가?

리처드 도킨스는 이를 '이기적 유전자'라
표현한 바 있습니다.

유전자는 자신을 싣고 있는
인간 개체로 하여금 부지런히
생존과 번영을 위한 활동을 하도록
지령을 내리고,
인간 개체가
조그만 실적에 그만 만족하여
주저앉아 버리지 않도록
행복호르몬에 의하여
부단히 조종하고 있습니다.

개체의 섣부른 만족은
유전자가 최대한 번창하여
영구 존속하도록 하는 이익에
배치되기 때문입니다.

그러므로 세대를 따라
이어져 내려가는 유전자와는 달리
인간의 단위 개체는
생노병사(生老病死)의 힘든 과정을 거쳐
유전자를 보존·승계시키는 임무를
등골 빠지게 수행하고
그 역할을 다하면 용도폐기로
소멸되는 존재로 진화하였습니다.

그리고 개체는 이 생존의 과정에서는
유전자의 명령에 따라 분비해 주는
그때그때 감질 나는
약간의 생화학적 호르몬.
즉 세로토닌 도파민 옥시토신으로
주어지는 행복감에 의존하여
힘겹게 살아갑니다.

이처럼 재부·권세·명성을
끊임없이 추구하는 인간의 본능에는
브레이크가 없습니다.

인간은 본질적으로 어떤 존재인가?

인간의 본능에서 재부·권세·명성은
다다익선(多多益善)인 것으로
각인되어 있어서
'이 정도면 충분하니까 이제 그만 하자'
는 것이 없습니다.

그래서 인간 모두가 이 본능을
가감없이 풀어놓으면
이 세상은 '만인의 만인에 대한 투쟁'
상태가 되고 말 것입니다.

이렇게 되어서는 인간사회가 불안전해지고
오히려 모든 개체의 개개의 이익에도
반하는 결과가 됩니다.

재부·권세·명성을 추구하는
인간 개체들의 이 본능은
몸속에 품고 있는 야수와 같으므로
인간은 항상 이 내면의 야수를
길들이고 통제하여야 할 필요가 있습니다.

그러므로 인간이라는 거친 생체기계를
제대로 다루어 나감에 있어서는
과도한 욕심을 버리는 '수양'이라는
조종법이 반드시 필요하고
이를 익혀야만 합니다.

즉 '인간은 본질적으로
수양(修養)을 필요로 하는 존재'입니다.

논어에 '거친 밥에 물만 마시고
팔 베고 누웠어도
즐거움은 여기 있으니
부귀와 영화는
나에게 뜬구름과 같다
(飯疏食飲水하고 曲肱而枕之라도
樂亦在其中이니
富貴且榮華는 於我에 如浮雲이라)'

인간은 본질적으로 어떤 존재인가?

한 것은 이러한 수양을 완전히 이룬
단계를 표현합니다.

보통 사람들은 이처럼
완벽할 수는 없고
각자 정도의 차이는 있겠지만
어느 정도 본능을 통제하며 살아갑니다.

반드시 도를 닦는데 전심전력하는
종교인이 아닌 평범한 생활인이라도
타인과 조화하면서
평화롭게 살아가기 위해서
항상 수양을 깊이 해 나가야 하는 것은
인간에게 생래적, 본성적으로
자연히 요구되는 필수 덕목입니다.

3-4. 인간 수행(修行)의 생래적 한계

진화로 고도의 이성을 가진
인간에게 필요한 수양행위가 과연
완성된 상태로 이루어질 수 있는지
여부를 생각해 봅니다.

오늘날 주요 종교들의 교리는
여러 다양한 견해들의 차이가 존재하지만
대체로 수행(修行)을 깊이 하여 가면
최종적으로 모든 인간적 욕망을 물리치고
여기서 완전히 해방된 상태에까지
이를 수 있다고 보고
이를 목표로 삼는 것으로 보입니다.

불교에서 이를 '해탈(解脫)'이라 하고
기독교에서 이에 대응할 만한 존재는
'성인(Saint)'이나 순교자일 것입니다.

인간은 본질적으로 어떤 존재인가?

그러나 인간의 몸 속 모든 세포 속에
이미 들어있는 선천적인
DNA분자에 각인된 유전자가
후천적인 수양과 수행에 의하여
지워질 수는 없습니다.

재부·권세·명성을 추구하는 본능은
인간이 오랜 기간 자연선택의 원리에 따라
진화하면서 DNA분자로 구성된
유전자에 각인되어
조상으로부터 유전된 것입니다.

인간 개체가 이성의 힘으로
아무리 단대(單代)의 수행을
강고(强固)하게 한다고 하여도
생체에 각인된 이 유전자가
없어질 리 만무합니다.

적절한 수양과 수행은
일생을 살아나가는 인간에게
반드시 필요하고 바람직한 태도입니다.

그러나 여기에 과도하게 집착하여
완전한 해탈자가 되거나
성인이 되기를 바라고
이를 목표로 정진한다고 해도
실제로 완벽하게 이 상태에 이르는
것은 불가능합니다.

주요 종교의 높은 교직에 있는
내로라할 수행자들이
뜻밖의 추문에 휩싸이는 사건들이
종종 발생하는 것도
이러한 맥락에서 이해됩니다.

만약 완전한 해탈에 이르거나
완전한 성인이 된 사람이 있다면

그의 유전자가 수양과 수행에 의하여
돌연변이가 일어나
재부·권세·명성을 추구하도록 명령하는
DNA분자 부분이 소멸하고
이미 호모 사피엔스의 유전자와는 달라진
별종(別種)으로 변하였다는 것이 되는데,
이런 일은 과학적으로 발생할 수 없습니다.

그러므로 재부·권세·명성을 향한
본능적 욕망을 완전히 끊는다는 것은
인간에게 불가능한 일입니다.

가끔 자신은 이를 달성했다고
느낀다고 하여도
이는 한시적 착각일 뿐,
인간은 아무리 노력해도
생물학적으로 결정되어 있는
한계를 벗어날 수 없습니다.

다만 인간이 늙어서 죽음에 가까워지면
모든 세포의 대사작용이 침체될 것이고
재부·권세·명성을 추구하는
유전적 본능도 점차적으로
기능이 쇠퇴하여 소멸되어 갑니다.

이때에는 당연히 본능적 욕구가
보다 쉽게 통제될 수 있습니다.

그러나 이것은 수양 수행의 성과가 아니라
유전자의 입장에서 그 개체가
더 이상 유용하지 않기 때문에
소멸시키는 과정에서 나타나는
노쇠현상이라 할 것입니다.

공자님이 나이 70세에 이르러
"종심소욕불유구(從心所欲不踰矩)"라고
자신있게 말할 수 있었던 것에는
이러한 요인도 있었다고 봅니다.

인간은 본질적으로 어떤 존재인가?

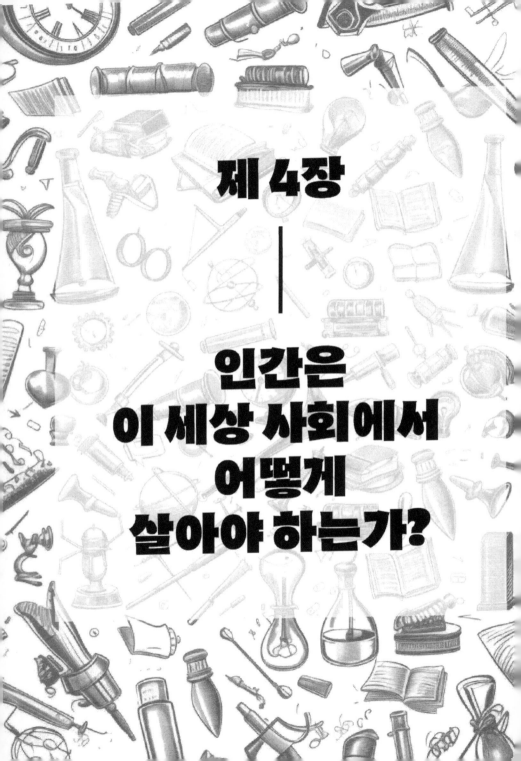

제 4장

인간은
이 세상 사회에서
어떻게
살아야 하는가?

4-1. 세상의 선악에 대한 신과 자연의 무관심

태초에 빅뱅 인플레이션으로 우주가 시작하여

질량 입자와 별이 생겨나면서

태양계와 지구가 형성되고

지구상에는 생명체가 탄생하여

고등생명체인 인간으로까지 진화하였습니다.

이렇게 억겁의 유구한 시간적 과정을 거쳐

지구 세상에 나타나게 된 인간은

어떻게 해야 한정된 수명 기간 동안

자신이 속한 사회에서

가치 있는 인생을 살아갈 수 있을까요?

여기서 주제는 자연법칙이 지배하는

사실(Sein)의 세계를 떠나서

인간이 만든 규범법칙이 지배하는
당위(Sollen)의 세계로 들어갑니다.

인간이 어떻게 살아야 하는가
하는 점에 관하여
먼저 솔직히 인정되어야 할 것은
신(神) 내지 자연(自然)은 인간에게
진화 유전적인 약간의 방향성을 주는 것
이외에는 그 이상의 어떠한 도덕적 기준도
직접 주지 않는다는 사실입니다.

자연이 일으키는 지진, 쓰나미나
태풍, 홍수 등 천재지변은
선한 자와 악한 자를 가려서
벌하는 일이 없습니다.

우주와 자연을 창조한 신이 있다면
그 신은 인간의 선악 행위에 대하여
그저 무심할 뿐입니다.

신은 진화를 통해 인간의 본능에 심어놓은
약간의 동정심과 정의감 이외에는
인간의 사회생활과 규범 문제에
전혀 개입하지 않습니다.

138억 년 전 빅뱅 이래 우주와 자연계는
오직 자연법칙에 의하여
냉정하게 객관적으로
운행될 뿐입니다.

선과 악, 정의와 불의 등 인간의 가치판단에
관련된 모든 문제는
조물주가 정하여 주는 것이 아니라
인간이 자신의 이성에 의하여
또 사회적 합의에 의하여
스스로 결정하고 운행하는 것입니다.

4-2. 진화 과정에서 본능으로 포섭된 양심과 도덕

원시시대의 인간이
아무리 가혹한 생존경쟁의
생태계에 던져진 존재라 해도
자신의 생존과 무관한
과도한 희생이 발생하는 것을
바랄 이유는 없을 것입니다.

또 인간은 생물학적으로
사회적 동물로서 태어날 때부터
모체와 주변 가족들의
보호를 받아야만 생존할 수 있고
사회적 집단을 형성하여
단체적 힘으로 생존력을 키우면서
자립해 나갑니다.

이것은 선택의 문제가 아니고
인간이란 동물 자체가
생물학적 내지 본능적으로
그와 같이 만들어져 있는 것입니다.

'사회적 동물'인 인간은
자기편 집단의 내부적 평화나
상대편 집단과 잠정적 공존을
유지하기 위해서라도
투쟁능력 이외에
동정심, 사양심, 정의감 등을
어느 정도 갖추는 것이 유리하고
이는 진화과정에서 서서히
본능으로 키워나가게 되었습니다.

맹자는 인간의 도덕적 본능을 직관하여
이른바 사단(四端), 즉
측은지심, 수오지심, 사양지심, 시비지심
으로 요약했습니다.
이 중 특히 주목되는 것은

측은지심(惻隱之心)인데

이는 경쟁에서 뒤쳐진 약자들이나

무력한 생명에 대하여

안타깝게 여기고 동정하는 마음으로서

자연은 이러한 이타적 본능을

인간에게 자신의 생존경쟁에

지장이 없는 한도에서

다소간 부여하였습니다.

여기서 '다소간' 이라고 하는 이유는

인간이 아무리 부단한 생존경쟁의

힘겨운 상황에 놓여있다고 하여도

필요 이상으로 잔인하여지는 것은

득이 되지 아니할 뿐만 아니라

오히려 자연생태계의 공적(公敵)으로 만들어

역으로 자신의 생존을 위태롭게 하는

부작용을 가져오므로

그렇게 되지 않는 한도 내에서만

주어졌기 때문입니다.

적자생존의 경쟁의 시각에서 보아도
적절한 동정심과 올바른 사회성을
가진 개체가 오히려 강점을 가지는
측면이 있음을 부인하기 어렵습니다.

그렇지만 인간의 본능에서
동정심과 정의감이 경쟁심을
전반적으로 압도하는 것은 아닙니다.

엄중한 생존경쟁 상태에서
투쟁심보다 측은지심 또는 사양지심이
더 강해진 이타적 성향이 유별난 개체는
대체로 오래 살아남지 못했을 것입니다.

적자생존의 세계에서는
투쟁심이 강한 것이 우선하되
이에 반하지 않는 범위 내에서
동정심 등 양심을 간직하고
이를 적절하게 활용하는 성향을 가진 개체가

경쟁에서 가장 유리하여 살아남았고,
이것이 현생 인류를 지배하는
본능적 성향이 되었습니다.

예로부터 인간의 본성에 관하여
성선설(性善說)과 성악설(性惡說)
의 대립이 있어 왔지만,
인간은 선과 악의 양면의 유전자를
모두 가졌다고 생각됩니다.

인간은 냉혹한 생존경쟁의 현장에서는
독하고 악한 성향이 주로 발현되고
안정된 사회결합의 상황에서는
부드럽고 선한 성향이
제대로 발현되는 존재로
진화되었습니다.

4-3. 사회적 강제규범인
법의 의미와 가치

인간에게는 생존경쟁의 본능이
양심의 본능보다 대체로 강하다고 하지만
생존의 터전이 될 사회가
모두 양심을 버리고
서로 물고 뜯는 야수의 세계가 되도록
방치할 수는 없을 것입니다.

인간사회가 평화롭게 유지되어
공존이 가능해지려면
타인에게 부당하게 해악을 가하는 행동을
집단의 힘을 통하여 강제적으로
통제하여야만 합니다.

이러한 이유로 인간사회에는
강제력있는 법규범이 필수적이며

이를 통하여 사회는
법적 안정성과 평화를 얻습니다.

그러나 법은 인간이 만드는 것인 만큼
내용이 편파적이거나
불완전할 수 있습니다.

잘못된 법은 서로 다툼의 소지를 발생시키고
사회평화를 이루고자 하는
법 본연의 역할을
제대로 수행할 수 없습니다.

그러므로 법규범에 대해서는
그것이 수범자 모두가 지켜야할
정법(正法)에 해당하는 것인지
여부를 늘 따져보아야 하고,
그렇지 못할 경우 바꾸어나갈 수 있는
사회제도적 장치가 마련되어 있어야 합니다.

그렇다면 인간사회에서
이성(reason)을 가진 사람으로서
누구나 납득할 수 있는
최소한의 규범은
어떠한 내용이 되어야 할까요?

이 점에 대하여 임마누엘 칸트는
정확히 그 요체를 제시한 바 있습니다.

칸트에 의할 때
인간사회를 구성하여 살아가는
개개의 인간에게 요구되는
가장 근본적인 가치 원칙은
오직 두 가지입니다.

"① 모든 인간을 수단이 아니라
목적으로 대할 것,
② 나의 행동이 동시에
사회의 보편원칙으로

타당하도록 할 것"이라고 하는
두 개의 정언명령이 그것입니다.

모든 도덕과 법의 내용들은
바로 이 두 가지 원칙을 기초로 하여
인간의 생활영역 별로
보다 세부적으로 구체화한 것입니다.

제1의 원칙은 오늘날
일반적으로 통용되는
'인간 존엄(human dignity)과
가치의 존중'과 같은 의미를 가집니다.

인간의 존엄성으로부터
오늘날 통용되는 다른 모든 기본적 권리,
즉 인권이 도출되며, 이에 대한 존중이
칸트의 제1원칙의 구체적 내용이 됩니다.

제2의 원칙은 인간의 사회생활은
구성원 상호간의 이해충돌을 해결하는
보편원칙으로서
보통 '정의(justice)'라고 표현되는
가치에 근거하여
모든 행동을 조정하라는 의미가 됩니다.

인간사회에서 통용되는 '정의롭다'는 개념은
대개 인간들 간에 충돌하는 이해관계를
올바르게 해결하는 방안을 말하는데,
구체적으로는
① 당해 행동의 목적이 정당하여야 하고,
② 그 행동은 이로 인하여 침해되는
여타 반대이익보다 더 큰
사회적 명분과 가치를 가져야 하며,
③ 타인의 이익을 어쩔 수 없이 침해하더라도
이를 최소화하도록 실행해야 한다는
원칙들을 통하여 구현되고 있습니다.

이처럼 인간의 법규범의 핵심은
결국 '인간 존엄성의 존중'과
'정의의 실천'에 있고
이로부터 법률을 비롯한
기타 모든 법규범들이 도출됩니다.

그러나 현실상황은 보다 복잡하며
한 사람에게 정의로 생각되는 것도
다른 사람의 입장에서 불의로
간주될 수 있기 때문에
사회생활 중에는 부단히
법과 규범을 놓고
서로 다툼이 일어납니다.

결국 인간은 일상생활에서 끊임없이
이 문제와 부딪힐 수밖에 없으며
가급적 다수가 수긍할 수 있는
합리적 정의를 찾아가는 고민을
하면서 살아가야 합니다.

4-4. 정의롭지 못한 법규범에 대한 대처

규범 특히 강제력을 가진 법규범은

신이나 조물주가 아니라

인간들이 사회적 합의로서

만들어낸 것이므로

내용상 불완전하고

항상 모순과 흠결을 가질

위험이 내포됩니다.

법규범이란 원래 개인들 상호간의

이익 다툼 속에서 타협점을 찾는

과정에서 형성되는 것이므로

보다 강한 측의 이익을

우선시키는 방향으로

내용이 경도될 수밖에 없기 때문입니다.

하지만 대부분의 내용은
일단 중지(衆智)를 모은 것이므로
대체로 사회적 공익을 위하여
필요한 내용을 담을 것이고
사법시스템이 제대로 작동하는 한
그 적용 또한 공평할 것으로
기대할 수 있습니다.

그러므로 일단 형성되어 발효된 법규범은
개인적으로 불만이 있다고 하여
함부로 그 위반을 정당화하고
무시하여서는 안 됩니다.

하지만 도저히 묵과할 수 없는
불합리한 모순과 흠결이 있는
법규범에는 이에 저항하여
내용을 시정하도록 할 수밖에 없으며
그렇게 하는 것이
정의의 관념에 부합할 것입니다.

법은 그 내용의 부당함이나
부족함 여부에 상관없이
일정한 사회문제에 대하여
분쟁을 일단 종식시키고
사회에 평화를 가져다주는
이른바 '법적 안정성'을 도모하는
중요한 역할이 있습니다.

여기서 '악법도 법이다'라고 하는
법실증주의와
정의에 위반되는 법은
법이 아니라고 하는
자연법주의가 대립하는
법철학적 논쟁거리가 있지만
어느 쪽이든 일방적으로 맞는다고
할 수는 없습니다.

결국 악법이라도
일단은 유효하도록 하되

한편으로 법 자체의 공정성을 따져
무효로 할 수 있는 제도가 도입되어
이를 통하여 잘못된 법은
시정될 수 있도록 하여야만 합니다.

만약 이러한 제도가 없거나
있어도 적절히 작동되지 아니한다면
선거에 의한 심판이나
시민적 정치활동으로
법이 공정한 방향으로 바뀌도록
부단히 노력하여야 하는데,
법에 복종하여야 할 일차적 의무를
부담하고 있는 시민의 입장에서는
무척이나 피곤한 일이 될 것입니다.

요컨대 발효된 법은 일응 준수되어야 하지만
법이란 원래 인간들이 그 이해관계 속의
타협에 의하여 이루어지는 것인 만큼
절대적 복종만이 정당화될 정도로
항상 완전하지는 않습니다.

부당한 법에 의해 자신이 희생되지 않도록

늘 주의를 기울여야 하며

부당한 법 집행에 대해서는

단호하게 대처하고 투쟁해 나가야

오히려 그 사회 발전에도

도움이 될 것입니다.

4-5. 인생의 한계적 상황에 대한 대처

인간은

① 생존을 유지하고 행복을 실현하기 위한

본능적 활동을 하면서

② 스스로 수양하고 사회가 정한 도덕과

올바른 법에 따르면서도

③ 마음 속 깊게 자아가

진정으로 원하는 의미있는 활동을 하여

자기실현을 도모함으로써

인생의 가치를 실현해 나가는 존재입니다.

그렇다면 인간의 자아가

스스로 선택하는 자기결정이야말로

그 자신의 인생의 가치를 발현하는

전제조건이 되는데

인간이 살아가는 실제 현실에서는

자신의 의사결정과 행동의 자유를

중대하게 억압하고
심하면 이를 완전히 절멸시켜 버리려는
외부적 요인들이 침범하여
들어오는 경우가 허다합니다.

인간은 가족생활과 사회생활 나아가
국가생활을 하여야만 하는 존재이므로
늘 타인과의 갈등이 발생하고
그 속에서 성장하고
생활하여야 하는 것은 불가피합니다.

그러나 이러한 외부적 침범이
인간을 의사결정의 주체에서 객체로
전락시킬 정도로 강력하다면
당해 개인의 존재 자체가
한계적 상황을 맞게 될 것입니다.

여기서 '한계상황'이란
이 상태가 단지 특정의 영역에서

의사결정과 행동의 자유를
통상적인 범위에서 합리적으로
제한하는 정도를 넘어서
개인의 인격과 인생의 가치를
전반적으로 파괴·말살하려는
절대적이고 총체적인 위기상황입니다.

한계상황은 크게 세 가지 외부적 요인으로
나타날 수 있는데
① 자신에게 영향력을 발휘하는
타인에 의하여 조성된 경우와
② 국가 체제나 사회 조직에 의하여
강요되는 경우 및
③ 자연적 죽음에 가까워져서
이를 피할 수 없는 상황에
놓이게 되는 경우입니다.

한계상황에 마주친 인간은
생의 가장 절실한 순간에

와 있는 것이며 외관상으로는

일상생활 중에 있는 사람들과

함께 있는 것으로 보인다 하더라도

실제로는 그들과 전혀 판이한

세상에 떨어지는

정신적 위기상태에 놓이게 됩니다.

인간은 독립된 인격체로서

사회활동을 하는 과정에서

자신은 싫지만 어쩔 수 없이

타인의 지시를 따르거나

그 의중을 받아들여 행동하여야 할

경우가 빈번히 발생합니다.

인간의 사회생활은

제 자신의 기분대로만 할 수 없으며

타인과 협력하여 상생하면서

이루어져야 하고 그 과정에서

인내하고 타협해야 하는 것은 당연합니다.

하지만 타인이
물리적 힘으로 압박을 가하거나
경제력 또는 사회적 지위나
특수한 관계를 악용하여
자신의 자유로운 의사결정을 침범하고
자신의 인격을 수단화하는
지경에 이른다면
어떠한 고통과 손실에 따르더라도
이에 맞서야 할 것입니다.

이러한 인격 침해는 반드시
자신과 대립하고 있는
적대적 인간들뿐만 아니라
자신과 가까운 주변,
심지어는 가족 구성원들로부터
받을 수도 있습니다.

이에 맞서기 위해서는
상당한 고통과 손실을 감내할
용기가 필요한 경우가 많습니다.

이러한 한계상황에 선 인간은
비록 큰 희생이 예상되더라도
용기를 내어 나의 인격을 수단화하려는
모든 시도를 차단하고
타인의 실질적 노예가 되는
사태에서 벗어나야만
자신의 인생의 의미를
되찾을 수 있을 것입니다.

국가가 개인의 실존을 침범하는 경우
상황은 더욱 심각해집니다.

타인에 의한 실존 침해는
늘 마주쳐야만 하는 일상이고
대개 강도도 크지 않을 뿐 아니라
구체적 상황에 적합한 조치들로
대처해 나갈 수 있습니다.
하지만 국가의 침해는
그 수준과 강도가 다릅니다.

독일의 나치체제의 경우는 물론이었고
북한의 전체주의 독재체제에서
벌어지고 있는 상황은
국가가 조직적으로 권력을 남용하여
개인을 예속시키고 이를 거부하면
강제수용과 처형 등을 통해
개인의 인격과 존재 자체를 철저히
말살시킬 수 있음을 보여 줍니다.

그러므로 국가를 장악한
독재자나 일부 사회집단이
국가의 공인된 폭력을 이용하여
조직적 체계적으로
그들의 사상을 강요하면서
개인의 삶에 침투해 올 경우
모든 수단을 동원하여
이에 저항하지 않을 수 없습니다.

이는 나 자신의 인격의 독자성과
결정의 자유를 지키기 위한 것으로서
인생의 가치를 유지하느냐
상실하느냐의 중대 문제입니다.

마지막으로 모든 인간이 피할 수 없는
가장 중요한 한계상황은
죽음에 마주할 때입니다.

여기서 인간은
인생의 최종적 단계에서
인간세계에서의 마지막 시간에 대하여
어떤 태도를 선택할 것인지에 대한
최후의 질문에 봉착합니다.

갑자기 위기상황에 닥치게 되어
타인을 위하여 생명을 던지는
조건 없는 희생을 실행하는
의인(義人)의 경우를 가끔 접하는데

그가 인간으로서 죽음 앞에서
선택한 마지막 삶의 방식은
용감하고 품위있고 헌신적이어서
큰 도덕적 가치를 얻어
다른 어떤 인생의 경우보다도
의미있게 보아질 것은 분명합니다.

하지만 대부분의 다른 인생은
영웅적이거나 극적인 희생과 관계없이
단지 암과 같은 불치병이나
노쇠함으로 인하여
최후를 맞이하는 것이 보통입니다.

불치병에 걸린 환자가
병상에 누워 생명만 부지하는 것은
인간다운 삶이 될 수 없어
본인 또는 가족이 그 죽음을 원할 때
이를 허용할 것인지 하는
안락사(安樂死)의 논란이 있지만

이를 일반적으로 허용하는 것은

인간의 존엄을 해치므로

결코 해서는 안 됩니다.

어떠한 인간도 타인의 생명 자체를

살 가치가 있다 없다고 평하면서

감히 처분할 권한이나 자격이 없습니다.

피할 수 없는 죽음에

가까이 다가선 사람으로서

생명을 부지하는 노력과 투쟁 이외에

다른 활동이 불가능한 상태라 하더라도

그 사람의 삶의 존엄성과 가치가

없어지는 것은 아닙니다.

이 세상에 단한번의 기회로

부여받은 인생은

마지막 순간이 다가올수록

그 본인에게는 한없이

가치로운 시간이기 때문입니다.

제 5 장

인간은
각자의 삶의 가치를
어떻게 실현하는가?

5-1. 인생의 가치를 결정하는 의미있는 삶

'타인의 인격을 존중하는 정의로운 삶'은

인간이 살아가는 데 있어서

마땅히 지켜야 할 규범적 목표임

을 부인할 수 없지만,

단지 도덕적으로 살기만 하면

단 한번 주어지는 인생의 가치가

온전히 실현된다고 할 수 있을까요?

주어진 법규범을 너무나 잘 지켜서

'법 없이도 살 사람'이라는

경지에 이른다면 그것만으로

인생의 목적이 달성되는 것일까요?

인간은 도덕과 법을 지키기 위한

목적으로만 태어난 존재가 아닙니다.

만약 이런 생각을 한다면
이는 인간을 전체주의 사회에 봉사하는
수단이자 도구로만 여기게 될
가능성이 높아집니다.

도덕과 법을 지켜야 하는 것은
인간이 태생적으로 사회적 동물로서
사회 구성원들과 교류·협력하면서
생을 이끌어나가는 존재이므로
인생의 터전인 사회의
평화와 안정을 지키기 위하여
필요한 전제이기 때문입니다.

따라서 이것만으로는
개개인 자신의 인생의 가치를
온전히 빛내기에 부족합니다.

타인의 인격을 침해하지 말고
법과 도덕규범에 어긋나지 않아야 한다는 것은

살면서 주로 '하지 말라'는 것의 지시로서
인생의 소극적 행동지침에
불과합니다.

의미있는 삶은 이것을 넘어서서
그 인생기간 동안 자기실현을 위하여
무엇인가 보다 적극적 활동을
함으로써 제대로 실현됩니다.

여기서 인간은 당위(sollen)의 세계를 지나서
소망(wollen)의 세계로 들어가게 됩니다.

모든 사람들은
자신에게 가장 적합하면서도
간절히 하고 싶은 적극적 활동이
구체적으로 무엇인지를 찾아내어서
이를 실현하여
인생의 의미와 가치를 이루기를
원할 것입니다.

인간은 자신만의
특성과 경험으로 가지게 된
간절한 소망을 실천해 나감으로써
자기실현을 하는 존재입니다.

다만 아무리 자신의 일이라 하더라도
진정으로 일생의 가치를 두고
하고 싶은 일이 무엇인지를
스스로 잘 모르는 경우가 많고
삶을 영위하는 과정에서
바뀌어나갈 수도 있으므로
인간은 이 점을 항상 진지하게 생각하면서
이러한 활동 분야를 일생에 걸쳐서
부단히 찾아내야 할 것입니다.

5-2. 세속적 성공을 추구하는 활동과 인생의 가치

인간의 여러 활동 중에
본능에 의한 보상이 이루어져서
저절로 추진되어 나가는
재부·권세·명성의 획득 활동 그 자체는
'인간으로서 가치로운 적극적 활동'으로
의미 부여를 할 수 없습니다.

여기서 가치 부여의 대상은
자연적 본능 추구 영역 밖의
활동이 되어야 하기 때문입니다.

유전자의 명령에 의하여
생존경쟁의 자연적 본능에 따라 추구되고
성공하면 인체 내의 화학물질의 분비로
행복감을 느끼게 해 주는 형태의 성과는

엄밀히는 유전자적 가치의 실현일 뿐
자아의식을 가진 당해 인간의 가치를
실현하는 것이 아닙니다.

하지만 인간은 하나의 생명체이므로
생존과 평안을 위한 기본 물질과
생활여건을 가지는 것이 필요하고
이를 추구하는 활동이 인간에게
전혀 의미가 없다고 하기 어렵습니다.

많은 경우 재부·권세·명성의 획득은
사회에 이타적 활동을 하는데
중요한 수단, 기반이 되어주기 때문에
단순히 생존하는 차원을 넘어선
고차원적 가치활동을 실현하는데
얼마든지 잘 활용될 수 있습니다.

물론 그 반대로 타인들에게
고통과 해악을 초래하는 방향으로도
악용될 수도 있습니다.

이처럼 세속적 성공을 추구하는 것은
인생의 궁극적 가치 실현에
한편으로 긍정적 기여를 하면서
다른 한편으로는 부정적 해악을 가하는
역할을 하기도 하는 양면성을 가집니다.

예컨대 징기스칸이 정복전쟁을 벌이면서
항복을 거부한 도시의 전 주민을 처형한 것은
인종학살(genocide)로서 부정적 활동이지만,
유라시아 대륙을 통합하여
평화를 이룩하고 상호교류를 증진시킨
것은 인류역사에 공헌을 한
긍정적 활동의 의미를 가졌습니다.

나폴레옹은 유럽대륙 전역을 정복하면서
무수한 전쟁으로 많은 인명을 희생시켜
당대 유럽인들에 큰 불행을 안기는
부정적 활동을 하였지만
자유 평등의 프랑스 혁명정신을

전 유럽에 확산시켜 시민사회의 형성을
촉진시킨 것은 인류 전체에 도움이 될
긍정적 활동으로 볼 수 있습니다.

아돌프 히틀러는 당시 세계적 강국
독일의 권력을 획득하는
엄청난 개인적 성공을 이루었지만
세계대전을 일으키고
대규모 인종학살을 자행하여
악인의 대명사가 되어 버렸습니다.

결국 재부·권세·명성의 획득은
인간과 인생의 가치판단에 있어서
그 자체로서는 도움이 될 수도,
해가 될 수도 있는
중립적인 요소입니다.

인간은 본능적으로
성공과 행복을 실현하기 위해

열심히 노력하는 존재이지만
이러한 본능적 활동만으로
자아를 가진 개인의 존재 가치를
온전히 실현한다고 하기 어렵습니다.

자신만의 의미있는 삶을 부단히 추구하고
이를 실현하기 위한 활동에 의하여
진정한 인생의 가치는 구현됩니다.

5-3. 개인 자아의 주체성

- 유전자의 본능적 지배로부터의 해방

인간은 우주의 탄생과 지구 생명의

진화에 의하여 나타난

무수한 생명체 종의 하나로서

앞으로도 계속 변모해 나갈 것입니다.

여기서 개체로서의 인간은

진화 과정의 핵심적 역할을 수행하는

유전자를 보존하고 계승시키는 역할을 하므로

얼핏 유전자가 인간의 주인이며

인간은 유전자를 싣고 가다가

낡으면 새 것으로 대체되어버리는

도구에 불과한 것으로 보이기도 합니다.

그러나 유전자 중심의 생체론은

의식을 가지고 생각하는 주체인

인간 개인에 가치를 두는
오늘날 지배적인 휴머니즘 사상에 배치되는
지나친 사고라고 생각합니다.

유전자와 DNA의 생물학적 작용은
인간이 멸종없이 존속해 나가기 위한
번식 수단일 뿐이며
실제로는 의식을 가지고
자신의 신체를 운용해나가는
'개별적 생명 단위 주체로서의 인간'들이
탄생 사멸하는 연속적 과정이
생명체로서 인간 존재의
본연의 모습이라고 할 것입니다.

단위생명체로서의 인간이
모든 가치판단에서
최고의 위치에 놓이는 이유는
인간의 머리 속에 자리한
'의식(conscience)' 때문입니다.

무의식의 DNA 다발인 유전자와 달리
인간 개체는 그 자체로서 의식을 가지고
신체를 조종하며 생활해 나갑니다.

인간의 의식은 인간이 생명체로서 가진
모든 감각을 받아들여 종합하고
이를 토대로 생각하여
자신의 행동을 결정해 나가는
주체성을 띤 정신활동입니다.

인간의 신체가 유전자를 품은
세포들로 구성되어
늘 생성 변화와 사멸 교체를
반복하고 있음을 고려할 때
각각의 인간개체 별로 항상적으로 유지되는
'의식'에 당해 인간의 동일성(identity)이
있다고 볼 수밖에 없습니다.

데카르트가 "나는 생각한다,
고로 나는 존재한다"라고 말한 것이나
파스칼이 "인간은 생각하는 갈대"
라고 말한 것도
인간 존재의 의식적 본질을
압축해서 말한 것입니다.

진화에 의하여 형성되었고
앞으로도 변화되어갈
인간의 육체가 아니라
인간 개체 별로 나타났다가
개체의 소멸과 함께 사라지는
'자아 의식'이야말로
인간 존재의 본질입니다.

인간의 신체를 이루는 모든 세포들은
7년이면 완전히 교체된다고 합니다.

인간은 항상 육체의 변화를 뛰어넘은

의식에 의하여 스스로를 자각하며

모든 외부적 정보를 인지하고

그 행동을 통제하고 있으므로

'무엇이 진정한 자기 자신인가'

라고 자문할 때

이는 바로 '생각하는 자아'임을

즉시 직관적으로 알 수 있습니다.

5-4. 의미있는 삶

- 자아 소망의 실현

호모 사피엔스라는 한 종으로서
인간은 장구한 기간 진화에 의하여
형성되었지만 각 개체로서의 인간은
자신이 원하여 탄생한 것이 아니며
'우연히 세상에 던져진 존재'입니다.

그러나 탄생된 인간 개체는
처음부터 초기의식을 가지고 있고
모체와 가족의 도움을 받아 성장하면서
자기의식은 점차 성숙하게 됩니다.

인간은 보통 약 18세가 되면
사회생활을 주체적으로 할 만큼
성숙한 단계에 이르고,
이와 더불어 인간의 의식 또한

완성단계에 이른 것으로
받아들여지고 있습니다.

외부의 영향을 받지 아니한
순수상태의 인간의 의식은
당해 개체의 모든 생각과 행동을
결정하는 컨트롤타워로서
'의사결정의 자유'를 가집니다.

개개의 인간의 자아와 의식은
인간의 존재가치가 솟아나오는 원천이므로
자신의 인생과 세상을 위하여
의미있다고 하여 내리는
자아의 의식적 결단이야말로
그 인간이 살아가면서 수행해야 할
가치로운 과제가 됩니다.

그러므로 각 개인은 늘 자신을 성찰하고
마음속 깊은 내면으로부터 우러나오는

자아의 목소리에 귀를 기울여야 합니다.

그리고 이러한 자아 의식으로부터
자신이 정말로 삶을 던져서
실행하기를 갈망하는 것이
무엇인지를 진지하게 찾아나가야 합니다.

이렇게 자신의 내면 깊숙이
진정으로 원하는 일을 찾아내어야 하며
이렇게 '인생을 건 개인적 소망을
추구하고 실현'해 나감으로써
그 사람의 인생은 자기다운 것이 되고
인생의 가치가 자기 자신에게
가장 '의미있게' 실현됩니다.

이 의식적 결단은
그 사람 개인의 삶을 통하여
우러나오는 것이어야 하며,
그 사람의 관심 취향 성격 능력 경험 등

모든 개인적 특성을 총체적으로 반영하여
오직 그 사람에게 적합한
유일하고 개별적인 것이라면
더욱 의미깊은 것이 될 것입니다.

여기서 자신의 인생에서
무엇을 하기로 결단할 것인지는
완전히 그 사람의 자유의지에 달려있지만

이에 앞서 인간은 사회적 존재로서
자신 행동의 사회규범적 한계가 있으니
이를 넘어서지는 않아야 할 것입니다.

이러한 한계를 벗어나지 않는 한
무엇이든 자신이
진정으로 소망하는 일을
마음대로 할 수 있고
이를 통하여 자신의 인생의 가치를
한껏 실현하게 될 것입니다.

우주의 정령으로 지구상에 태어난

인간은 유전자의 명령에 따라

본능적으로 행하는

사회적 생존활동의 한계를 넘어서

자신의 내면적 의식이

진정으로 갈구하고 소망하는 것을

추구하고 수행함으로써

의미있는 삶을 살고

인생의 가치를 달성합니다.

5-5. 의미있는 삶의 다양성과 실행 방법

의미있는 삶의 내용은
재부 권세 명성의 추구와 같은
본능적 활동과 차원을 달리 하면서
개개인이 자신의 인생에서
가장 소중하다고 생각하는 일로서
반드시 해 보고 이 세상을 떠나고 싶은
일이 될 것입니다.

그 내용은 자신의 자아가
진정 원하는 일이라면
어떤 것이라도 제한이 없겠지만
오늘날 인류가 가진 가치개념에 비추어
다음과 같이 세 가지 범주로
묶어볼 수 있습니다.

그 첫째는 '창조적 삶'으로서
이는 단순한 전례 모방을 넘어선
창조적인 작업을 통하여 가치를 실현하고
성취감을 얻을 기회를 줍니다.

널리 보편적 가치의 기본적 분야들로
받아들여지고 있는
진(眞), 선(善), 미(美)의 영역이
그것이라 할 수 있으며,
환언하면 진리와 학문의 탐구,
선행의 실천과 전파,
음악과 미술 등 예술에 기여를
생각할 수 있습니다.

둘째는 '관조적 삶'인데
여기에는 무엇보다
인간의 불완전함을 뛰어넘는
성(聖)스러움을 추구하는 것이
으뜸일 것입니다.

신성한 지구의 자연과 문화와 예술을
만나보고 체험함으로써
즐거움과 충족감을 얻을 수 있는
기회를 가지는 것도 삶의 의미를 채우는
한 방도가 될 것입니다.

셋째는 '관계적 삶'인데
이는 타인과 관계를 맺고
사랑과 의리 및 헌신으로 연결함으로써
순수감정으로 고양될 기회를
가지는 것입니다.

많은 훌륭한 위인들은
인류 전체와 같은
큰 범위의 사랑에 기여하여
추앙되기도 하지만
그처럼 거창한 규모는 아니라도
자신의 주변인 들 혹은
단 한사람에 대한 것이라도

헌신을 통하여 가치로운 인생을
실현할 수 있을 것입니다.

타인에게 아무런 혜택을 주지 않아도
일상의 소소한 과정 중에서
자신이 관심을 가지고 진정으로
탐구하거나 즐기고 싶은 분야가 있다면
그것에 몰입하거나 관조하는 것도
자신의 인생을 빛나게 하는 일이
될 수 있습니다.

또한 거시적으로 나아가
인간사회의 융화, 나라의 안정 또는
세계의 평화나 지구환경의 보존 등과 같은
인류 화합(和合)적 가치에 헌신하는 것도
당연히 여기에 포함될 것입니다.

무릇 이러한 의미있는 삶의 내용은
주제가 거창한 것인지

사소한 것인지 여부를 떠나서
각자 자신이 이 세상에 태어나
꼭 한번 하고 싶었던 일이 될 것입니다.

단지 속세에서의 생존과
성공 투쟁에 매달리며
일생을 지내버리는 데에서 오는
허무감을 없애고
자신에게 진정 세상에 태어난
의미를 느끼게 할 일이면
어떤 내용이든 광범위하게
포함될 수 있을 것입니다.

이러한 목표는 어떻게
수행해 나가야 할까요?

이것은 인간이 일생의 가치를 걸고
행하는 진지한 과제인 만큼
이를 완수해 나가는 것이
쉽지 않을 것입니다.

순탄한 경로에 있다면
몰입하여 강력히 나아갈 것이지만
장애를 만나더라도 포기하지 않고
도중 여러 중간목표를 설정하여
쉬엄쉬엄 나아가는 것이
현명한 방법일 것 같습니다.

즉 이 목표를 추구하는 인생행로에서
높은 산을 만나면 각오하고
힘겹게 넘어가고,
사막을 만나면 인내와 끈기로 나아가며,
어쩌다 오아시스를 만나면 쉬어가는 등
유장(悠長)한 마음을 가지고
헤쳐 나감이 필요할 것입니다.

산을 넘거나 사막을 건너는 등
힘든 경로를 극복하면
마치 인체가 생존의 목표를 달성할 때
행복호르몬을 통한 약간의 보상을 해서

더 나아갈 수 있도록 인도하듯이
그때마다 의식적으로 자신을 격려하고
일정한 보상을 정하여
스스로에게 제공해주는 방법으로
활력을 만들어나가면서
계속 추진해 나갈 수 있을 것입니다.

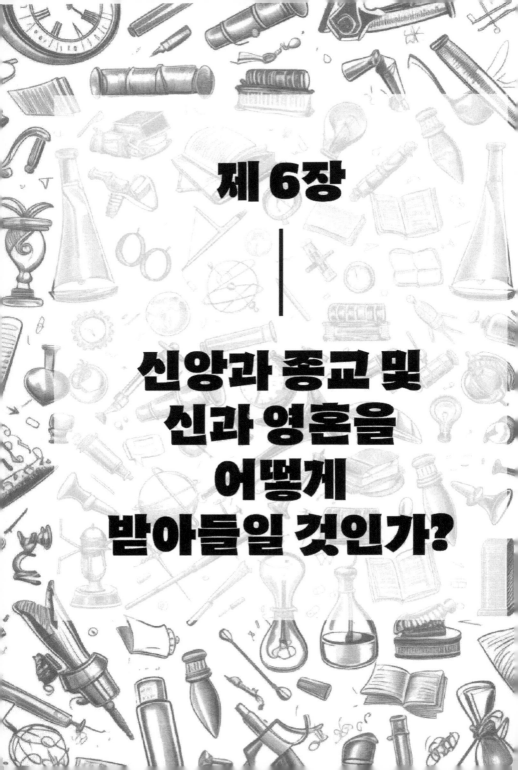

제 6장

신앙과 종교 및
신과 영혼을
어떻게
받아들일 것인가?

6-1. 인간의 본능으로서의
신앙과 종교

지구상에 태어나 일생동안 무자비한

생존경쟁을 겪어나가야 하는 인간은

항상 불안할 수밖에 없고

자신보다 강한 어떤 초인적 존재에

정신적으로 의지하여 힘과 용기를

얻을 필요가 있었으므로

그러한 성향을 가지는 방향으로

적자생존과 자연선택이 이루어졌습니다.

진화의 과정에서 인류는

보다 강한 신앙심을 가진 개체가 살아남았고

이러한 유전자를 가진 부류가

인간사회의 중심을 이루게 되었습니다.

역사상 인간이 처음 씨족사회를 형성하여
고도의 조직된 국가생활을 하는데 이르기까지
어느 인간 사회든 토속적이든 전래적이든
신앙을 받아들여 제식을 비롯한
각종 종교생활을 하지 않는
경우가 없었다는 사실이 이를 뒷받침합니다.

인간이 의지하는 신앙의 대상은
어떠한 존재이어야 할까요?

우선 언제든 곤경에 처할 수 있는
자신을 항상 구하여줄 만큼 강하여
수호신이 되어줄만한
존재이어야 할 것입니다.

따라서 인간과 같이 신체를 가지고
숨을 쉬면서 질병과 사고에 취약한
살아있는 실제 인간은 보통 배제됩니다.

간혹 권세가 강한 살아있는 왕이나
독재자를 신앙의 대상으로 삼는
사례도 있었지만 이례적인 경우로서
영속적일 수 없습니다.

더 강력한 신앙대상을 선택함에 있어서
우선 자신을 길러주고 먼저 세상을 떠난
부모나 조상은 친근한 상대로서
수호신으로 삼을 만하였습니다.

혹은 보다 큰 부족 단위로는
그 집단을 일으키거나 크게 발전케 한
인물을 신앙대상으로 할 만합니다.

나아가 국가의 단위로 커지면
선조의 활동을 신화(神話)를 만들어
그 대상을 숭배하는 사례도 나타납니다.

그러나 신앙의 대상으로서
가장 강한 존재는 아무래도
'이 세상을 창조하고 인간을 탄생시킨
조물주'일 것입니다.

인간세상 전체를 창조하고 주관하는
유일한 존재가 있다면 그야말로
최고의 신이 되기에 부족함이 없고
그 이상의 존재는 상상할 수 없습니다.

인류 역사에서 천지창조의 조물주를 상정한
유일신의 종교가 강세를 보이는 것도
이러한 이유 때문입니다.

이렇게 인간의 신앙과 종교는
필연적으로 천지창조와
인류탄생의 문제와 엮이게 됩니다.

우주와 자연의 생성 및

인류의 탄생의 문제는
근대 과학혁명이 있기 전까지는
인류가 제대로 알아낼 능력이 없었으므로
신앙의 문제로 자연스럽게 넘어갔고
오랜 역사 기간 동안 인류는 이를
종교의 문제로 다루어 왔습니다.

하지만 우주 자연의 생성 및 인류의 탄생은
본질상 자연현상에 관한 문제이기 때문에
과학적 탐구에 의하여
밝혀져야 할 주제입니다.

실제로 인류는 긴 시행착오 끝에
최근에 이르러 많은 진전을 보여서
이제는 그 전모를 상당히
밝혀냈다고까지 할 만합니다.

그러나 인간이 신앙을 가지고
종교생활을 하는 것은

절대자에 의지하고자 하는
인간의 본능 내지 생래적 특성에
따르는 것으로서
과학적 탐구와는 본질적으로
다른 영역의 문제이기도 합니다.

그러므로 앞으로 우주와 인간의
본질에 대한 과학적 진전이
계속되어 성과를 이룬다고 하더라도
인간에 내재하는 신앙의 유전자와
성스러움에 대한 갈구 본능이
완전히 소멸하지 않는 한
종교는 사라지지 않고
여전히 인류를 정신적으로 영도하는
지주 역할을 계속할 것입니다.

6-2. 영혼의 존재 여부에 관한 이분적 접근

19세기 이후의 과학적 연구는
세상과 우주 인간의 본질에 관하여
많은 획기적 발견을 해 왔지만
영혼의 존재 여부에 관해서는
아무런 발견 성과를 이루어내지 못했습니다.

따라서 영혼의 존재에 관한 칸트의
이성적 영혼론(rationale Seelenlehre)은
아직도 유용한 이론이며
필자는 합리적 실증론자로서
이에 따르고자 하는바,
칸트에 의하면 영혼의 존재 여부에 관하여
다음과 같이 보고 있습니다.

"나는 생각한다, 고로 나는 존재한다"
고 한 데카르트 이래,
"나는 생각한다"는 것이
모든 인간 인식의
필연적 조건임이 명백해졌습니다.

여기서 칸트는
"나는 생각한다"의 주체인 인간은
실증적 인식의 대상이 될 수 있지만,
나는 "생각한다는 것" 그 자체는
인간 인식의 대상이 아니라고
논리적으로 분리하여 설명합니다.

인간은 스스로 생각을 일으킴으로써
대상을 직관(Anschauung)하고
인식하는 것이고,
이는 인식의 작동 원천에 해당하며,
이것을 인식의 대상으로
도출하지는 못한다는 것입니다.

그래서 영혼이란 결국
"나는 생각한다"는 것을
사물화한 개념에 해당하여
이것이 '실재한다' 하거나
혹은 '실재하지 않는다' 하면서
실증적 존재의 영역에서
따질 대상이 아니라는 것입니다.

결국 영혼은 인간의 사고작용의
형식적 통일체로서
실재적 인식의 영역이 아닌
초월적 이념(transzendentale Idee)의
영역에 머무는 개념입니다.

모든 신앙은
불멸의 성스러움을 추구하는
초월적 영역에 대한
인간 본성의 발현으로서
초월적 이념인 영혼을

기본 전제로 하여 구성되고
영위될 수밖에 없습니다.

따라서 종교적 영역에서 다루어야 할
영혼의 이념을
과학적 실증대상으로 간주하고
논의하는 것 자체가
문제의 본질을 혼동한 것이며
무의미한 일이 됩니다.

칸트가 살던 당시
과학적 실증론의 입장에서
영혼이 존재하지 않는다고
주장할 경우 당면할
엄청난 사회적 박해를 생각할 때
질문을 회피한 느낌이 없지 않지만
영혼의 문제에서
과학적 실증론으로만 접근하는 것이
부적절하다고 본 것에는

인간의 영적 본질을 통찰한
혜안이 있었다고 생각됩니다.

6-3. 모습을 감춘 창조주와 종교의 존속

138억 년 전 우주창조 이래
고도로 진화한 생명체인
인간이 탄생한 지금에 이르기까지
우리 우주에서
신이 맡아야 할 역할은
특별히 없었습니다.

그러나 현재까지 과학적 연구는
왜 빅뱅 인플레이션이 일어났는지 하는
'천지창조의 원인'에 대해서는
실증적으로 규명하지 못했습니다.

이는 관측과 실증이 불가능한 영역이므로
가설만 난무할 뿐 앞으로도 당분간
확실히 규명될 가능성도 없어 보입니다.

과학적 탐구는 빅뱅 이후에
어떻게 우주가 형성·변화되고
태양계와 지구가 생성되어
인간이 진화하여 왔는지
그 과정과 방법을 알려줄 뿐입니다.

또 과학적 탐구는 최초의 생명체가
왜 어떻게 나타났는지에 대하여도
그 원인과 방법을 정확히
알아내지 못하고 있습니다.

우주에 충만한 생명에너지의
원인과 작동원리는
지금까지 인간이 이룩한
과학적 탐구와 성과로서도
밝히지 못하여 여전히
신비에 싸여 있는 영역입니다.

이 미해결의 문제들은

우주와 자연 및 인간의 존재에 관한

가장 근본적 핵심적 부분에 속하므로

여기서 신의 손길을

아직도 어렴풋이 느낄 수 있습니다.

그러므로 '과학적 규명으로

신이 존재하지 않는 것으로 확인되었다'

라고까지는 말할 수 없고,

여전히 조물주인 신은

인간의 신앙과 종교의 중심 개념으로서

존재할 여지를 확보하고 있습니다.

그러나 가사 신이 존재한다고 하더라도

신은 결코 자연법칙을 변경시킬

의사가 없으며

자신이 빅뱅에 의하여 창조한

우주와 생명을

최초의 운행법칙과 수학원리에 따라

자동 작동하도록 해 놓았을 뿐
이에 거슬리는 관여를 하지 않습니다.

그런 의미에서 신은 지극히
무관심하고 냉정한 존재입니다.

신은 인간 세상의 선악(善惡) 원리에는
아무런 관심이 없으며,
오직 자연법칙에 의하여
이들을 다스릴 뿐입니다.

인간의 도덕과 규범은
신이 아닌 인류 스스로 창설한 법칙이며,
따라서 신으로부터 벗어난
자율적 규율입니다.

즉 신은 인간에게 자신이 수긍할
도덕과 규범을 스스로 정립하고
이를 실천하며 그 위반에는

이에 합당한 책임을 부담하도록 하는
자율성을 부여했습니다.

신은 138억 년 전 빅뱅 이후
모습을 감추어버렸고
먼 과거 인과관계의
가냘픈 끈으로만 연결된 존재입니다.

하지만 여전히 '신은 우주와 인간의 창조주'
라고 믿지 못할 바 아니며,
생명 탄생의 초석을 제공한
'신의 기운이 아직도 우주의
삼라만상에 미치고 있다'고 주장하더라도
이를 실증적으로 반박할 길은 없습니다.

따라서 현대의 과학상식을 수용하면서도
각 개인은 신에 대한 신앙심을
유지하고 종교 활동을 하면서
심리적 안정과 용기를 얻고

신실한 생활을 영위하는데
지표가 되도록 할 수 있을 것입니다.

현실 종교의 다양함으로 인하여
서로 교리가 다르고 신앙생활의 방식에
서로 차이가 있다고 하더라도
인간이 신앙생활을 하는 것 자체는
자신의 개체와 유전자를
보다 잘 보전하고자 하는
자연의 섭리에 부합하는 행동일 것입니다.

현대상식으로 본 인생의 가치

과학철학이 보내는 근본적 질문에 대한 전상서

발행일 | 2024년 4월 29일

지은이 | 김승대
펴낸이 | 마형민
기   획 | 신건희
편   집 | 김현주 강채영
펴낸곳 | (주)페스트북
주   소 | 경기도 안양시 안양판교로 20
홈페이지 | festbook.co.kr

ISBN 979-11-6929-487-4 03400
값 15,500원

* (주)페스트북은 '작가중심주의'를 고수합니다. 누구나 인생의 새로운 챕터를 쓰도록 돕습니다. Creative@festbook.co.kr로 자신만의 목소리를 보내주세요.